KB147166

국난기의 사건과 인물로 보는

대구 이야기

국난기의 사건과 인물로 보는

대구 이야기

정영진

푸른사상
PRUNSASANG

대구 민초의 신산했던 삶을 되돌아보며

　어느 왕조, 어느 연대이건 수난의 시대가 없지 않았던 것이 우리의 역사이다. 하지만 19세기 말부터 20세기 중반까지 약 100여 년간이 가장 고되고 힘겨웠던 시기가 아니었던가 싶다. 백성을 착취의 대상으로만 보았던 조선조 말기의 맹목적이고 탐욕적인 세도정치가 끝내 망국을 불렀고, 그로 인한 일본 군국주의 식민시절의 수난사는 민족사의 엄청난 수치였다. 박상진, 장진홍, 이상화 등 애국투사들의 항일투쟁은 당연한 반발이었다.

　가까스로 해방을 맞았지만 국토는 분단되고 이어진 동족상잔의 동란으로 초토화된 강토에는 애꿎은 주검만 넘쳐났다. 그럼에도 나라를 다스린다는 자칭 지도자들이며, 일부 집권 '정상배'들은 민심과는 동떨어진 독재화의 길에 골몰하다 망하고 만 것, 역시 부끄러운 실상이었다. '야당도시', 신문사 피습, 2·28학생데모 등은 그 과정의 산 증거였다.

전란 후 어쩌다 대통령 네 명까지 배출한 대구라고 해서 그 부정적 영향을 받았음은 예외가 아니었다. 오히려 기대가 무너짐에 따른 절망의 그늘이 때론 짙기도 했다. 전태일, 이윤복 군 외에, 수없이 좌절한 이름 없는 젊은이들의 요절과 한숨 소리에서 그 슬픔의 잔영이 전해진다.

일제하의 민족수난기와, 6 · 25 전후의 동족상잔기, 전후의 초보 독재화기, 4 · 19혁명 직후의 자유 만복기, 이후 군사정권하의 억압기와 유신 치하기, 10 · 26 이후의 신군부 치하기, 이어 겉만 화려했던 문민정권 치하와, 그 틈틈이 좌편향 포퓰리즘 정권의 발호기와 법치 무력화기…, 민초들의 시각에선 통틀어 '국난기(國難期)'라 부를 만했다. 이들 중에 특히 대구의 민초들이 목격하고 마주쳐야 했던 신산고초(辛酸苦楚)와, 가끔은 짧았던 환희의 틈 사이에 일어났던 사건과 인물들의 기록을 더듬어본 것이 바로 이 '대구 이야기'이다.

오래 묵혀두었던 신문 연재분 50꼭지에, 새로 쓴 7꼭지(제5부)를 덧붙여, 제1부 일제강점 초기의 대구 풍정과 인물들. 제2부 항일과 굴종의 수난시대. 제3부 해방공간의 혼란과 좌절. 제4부 분단과 전란에 찌든 시대상. 제5부 혼돈 속에 자아 찾기 몸부림으로 나누어 묶어보았다. 못다 다룬 사건과 인물도 없지 않지만 뒷날을 기대하기는 현재로선 무리이다.

무엇보다 헐벗고 굶주리면서도 그런대로 '순수함'과 '진정성'을 지키려 애썼던 지난 50~70년대의 시류(時流)에 비해, 거짓과 위선, 무지와 독선이 판치는 오늘의 '야바위 정치판'이 너무도 역겹기 때문이다. 그리하여 고금(古今)의 사료와 대조해가며 기록해야 하는 '팩트 글쓰기' 자체가 한없이 부질없고, 구차스럽게까지 느껴졌던 까닭에서다.

대구(大丘), 달구(達丘), 달구벌(達句伐)로 불리기도 했던 대구(大邱)의 지명 변천사만큼 대구를 상징해온 별칭도 많았다. 소수나마 일제하에 치열했던 항일도시, 긴 역사의 약령시(藥令市)도시, 미군정하에 붙여졌던 폭동(항쟁)도시며, 조선의 모스크바란 비아냥부터, 6·25 때의 군사도시, 피란도시, 사수도시, 1950년대 후반의 야당도시, 데모도시, 그 이후의 정치도시, 여당도시, 보수도시가 모두 그것……. 또 교육도시, 문화도시에, 가끔은 인물도시, 미인도시로도 불렸고, 특화산업에 빗대어 능금도시, 섬유도시로 지칭되기도 했다. 『국난기의 사건과 인물로 보는 대구 이야기』를 엮은 뜻 역시 이 모든 '별칭 대구'에 대한 탐색 작업의 일환임을 알아줬으면 싶다.

책이 나오기까지 도와준 모든 친지들에게 마음속 깊이 고마움을 전한다.

2021년 4월

대구 이야기

제2부 항일과 굴종의 수난시대

제3부 해방공간의 혼란과 좌절

대구 이야기

제4부 분단과 전란에 찌든 시대상

제5부 혼돈 속에 자아 찾기 몸부림

제1부

■

일제강점 초기 대구 풍정과 인물들

백 년 전의 대구 풍경

을사늑약 이듬해이자 사실상 일제 치하 원년이 되던 1906년으로부터 115년이 되는 2021년인 오늘까지, 대구는 그간 어떻게 천지개벽을 했고, 무슨 경천동지할 사건들이 있었을까.

산천이 여남은 변하고, 조손(祖孫)이 세 차례나 대물림을 할 동안 산하를 주름잡던 대구의 인걸들은 다들 어떻게 부침하며 사라져갔을까.

곁들여, 8·15, 10·1, 6·25, 3·15, 2·28, 4·19, 5·16, 10·26, 5·18, 6·10 등, 암호들의 나열과도 같은 격변을 겪느라 힘없고 가난한 민초들은 또 얼마나 짓밟히고 눈물지었을까.

굵직한 사건사고들 가운데는 대구에서 발화되어 전국적인 관심사로 떠오른 것도 적지 않다. 또 잘했건 못했건, 30년간 이 나라를 주무른 박·전·노, 세 통치자들의 향리였다는 점에서도 대구는 실로 한국 현대사의 진원처럼 회자되기 일쑤였다.

이제 물질 세상은 예전에 비할 수 없이 풍요로워졌다. 곳곳에

아파트와 자동차, 핸드폰이 지천인 세상이다. 하지만 비록 너 나 없이 헐벗고 주리며 셋방에들 살았으나 마음만은 희망으로 부풀던 그때 그 시절이 문득 그리워짐은 웬일일까. 대구의 옛이야기들을 새삼 들춰보고픈 까닭의 하나이기도 하다.

115년 전 대구의 사회상은 어떤 모습이었을까. 당시 대구에 거류하던 일인들이 자신들의 정보지 형식으로 발행하던 주간신문인 『조선(朝鮮)』지를 통해 어렴풋한 윤곽이 잡힌다. 일본 도쿄대학이 보관하고 있는 이 신문에 따르면 1906년 초 대구 성내의 인구는 약 4만 명, 가구 수는 약 1만 호였다. 물론 오늘날과 같은 광역이 아니라, 진동문(鎭東門), 달서문(達西門), 영남제일관문(嶺南第一關門), 공북문(拱北門) 등 사대문 안의 인구이다. 그러니까 오늘의 동성로, 서성로, 남성로, 북성로 안의 인구와 호수만을 대상으로 한 집계이다.

이들 상주인구 외에 관찰사(觀察使, 도지사), 군수, 우체사(郵遞司), 전보사(電報司), 관리사정(官吏使丁, 관속) 약간명과, 진영대(鎭營隊) 병사가 4백 명가량 주둔하고 있었다. 진영대는 형식상 관찰사의 지휘를 받는 방위군 성격의 군대였다. 그러나 1904년 2월 23일 '한일의정서'가 조인되고, 7월 20일 '군사경찰훈령'에 의해 한국(조선)의 치안을 일본군이 담당한다고 통고된 이후, 사실상 대구의 일본군 수비대(헌병대)의 지휘통솔 아래 놓여 있는 허수아비 군대였다.

대구에는 이들 성내 사람들과 관속 및 병사들을 상대로 한 조선인들의 각종 장삿집들이 제법 번창하고 있었다. 숙박과 술집

대구 최초의 일인 주간신문 『朝鮮』

을 겸한 주막집이 2백여 곳, 각종 박래품(수입품)을 파는 잡화점
이 123곳, 담뱃집이 50곳, 고깃집이 40곳, 포목점이 40곳이었다.
이 밖에 기생집이 50여 곳 있었는가 하면, 매음 전문의 '갈보집'
역시 50군데 있었다고 앞의 신문은 특기하고 있다. 지체 높은
양반이나 부자들이 드나드는 기생집이 있듯, 보통 사람들의 '객
고'를 풀어주는 매음집도 같은 숫자로 있어야만 형평에 맞는
가 보다. 그러나 홀아비로 이주한 일인들의 필요에 의해 계획적
으로 조성된 전문적인 집창촌(集娼村)인 이른바 서문 밖 유곽(遊
廓)이 생기기 3년 전이어서, 여염집 형태로 산재해 있었던 모양
이다.

　이 무렵 대구의 일인 숫자는 1,200명 안팎으로, 남녀의 비율
은 6.5 대 3.5 정도였다고 한다. 영주할 터전을 닦기 위해 남정네
들이 먼저 건너온 까닭에 유곽의 필요성이 시급했던 것 같다. 이
보다 13년 전인 1893년 9월 두 사람의 의약 및 잡화상이 나귀를

타고 부산에서 청도 팔조령을 넘어온 것이 일인 이주의 시작이
었다. 관부연락선이 생기고, 경부선이 트이면서 이주는 러시를
이뤄, 한 달에 최저 80명에서 최고 250여 명이 '장사가 잘 된다'
는 대구로 몰려오는 형국이었다. 이들은 헌병대 용달상, 석유상,
음식점, 의사, 과자상, 조각사, 교원, 잡화상, 주상(酒商), 연초상,
사진사, 이발사, 승려 등의 다양한 직업을 갖고 있었다.

『대구생활』이란 한 신문 가십에 이 무렵 대구 사회상의 단면이
엿보여 흥미롭다.

- 많은 것은 지게의 수, 손님 끄는 매음부, 길가의 똥.
- 적은 것은 일인 처들의 공공심과 염치심.
- 높은 것은 매음부와 기생의 화대, 남문 밖의 교회당.
- 싼 것은 시장 부지료, 정거장의 지게 삯.
- 아름다운 것은 달성산의 경치, 정거장의 야경.
- 불결한 것은 부녀자의 '서서 오줌 누는 짓', 성내의 도로.
- 즐거운 것은 고향의 편지, 한어(韓語)를 배웠을 때.
- 슬픈 것은 이곳에 미인이 없는 것, 독수공방.
- 두려운 것은 매음집 주인과 경찰의 검문, 전염병.

백 년 뒤에 읽어봐도 조선인들의 실업, 가난, 저노임, 저임대
료, 비위생, 비교양의 정경이 여실하게 집약돼 있어 뒷맛이 씁쓸
하다.

반일 관찰사 이용익

　　을사늑약이 있기 반년 전인 1905년 봄, 대
구에 감영(監營)이 있는 경상북도의 관찰사는 이용익(李容翊,
1854~1907)이었다. 1854년 함경도 명천(明川)에서 상민으로 태어
난 이용익은 청년 시절 보부상으로 출발, 금광 개발로 밑천을 잡
아 중앙 정계로 진출한 입지전적인 인물이다. 임오군란 때 민비
측의 충직한 심부름꾼이 되면서 출세 가도를 달린 그는 단천(端
川)군수를 시작으로, 탁지부대신, 군부대신 등 최고 요직과 서북
철도국 총재, 헌병사령관 등 쟁쟁한 관직을 두루 거친 중앙정계
의 거물이었다.

　　그러나 국가 재정과 산업에 대한 각가지 개혁 조치로 고종황
제의 절대적인 신임을 얻었으나 정적으로부터는 '부정부패의 원
흉'으로 매도당하기도 했다. 또 일본도 친러파의 거두인 그를
1904년 2월 일본으로 강제 압송, 억류하기도 했다. 1년 만에 풀
려난 그를 고종이 눈치껏 앉힌 자리가 외직이자 한직인 경상북
도 관찰사직이었다.

이에 가장 놀란 측은 대구의 일인들이었다. 반일의 거물이 와서 예상치 않은 부담거리를 안겨줄지 모른다는 우려에서였다. 일인들은 그 자위책으로 먼저 친일 성향인 장승원(張承遠) 현직 관찰사의 유임 운동부터 폈으나 여의치 않게 되자 내놓고 이용익을 모함하며 배척 공작에 나섰다. "함경도의 한 필부가 고종의 충복임을 기화로 가렴주구를 일삼더니, 이제 관찰사로 좌천돼 온다. 그가 과연 반성을 하고 오겠는가"라는 내용의 선동 유인물문을 돌리면서였다.

오직 나라와 고종을 위해 다시 일하겠다는 각오뿐이었던 이용익은 이런 분위기에는 아랑곳하지 않고 그다운 혁신 시책을 펴나가기에 열중했다. 불법징세 엄단, 협잡배 추방, 도로와 관아의 개보수, 신교육 장려 등 전임자들이 등한시하던 파격적인 시책들이었다. 특히 '청결법'을 들고 나와, 길거리 청소에 둔감했던 관속들과 주민들을 혼내주기도 했다. 이즈음 대구의 거리는 나뒹구는 인분과 가축의 배설물로 온전하게 다니기 힘들 정도로 불결했다고 한다.

눈에 번쩍 뜨이는 이런 개혁 시책을 가장 반긴 측은 의외로 일인들이었다. 잘하면 대구의 개발이 앞당겨져, 대구 땅에 운명을 건 자신들의 미래가치가 크게 향상될지 모른다는 기대에서였다. 이 바람에 거꾸로 이용익을 감싸고 두둔하는 분위기마저 잠시일 정도였다.

하지만 이용익은 역시 소문대로 반일의 거목이었다. 일인들의 기대와는 정반대로 4월 초, 일인들에 국한한 '토지 매매 금지령'

을 전격적으로 내놓았던 것이다.
매매 당사자는 물론 중개인들도
어기면 처벌하겠다는 내용을 담
고 있었고, 실제로 명을 어긴 조
선인 중개인 20여 명을 옥에 가
두기도 했다. 거류민 신분임에
불과한 일인들이 막강한 자본력
을 배경으로 조선의 토지를 무한
정 매입하는 현상을 방치하다간

이용익

민족경제에 큰 해악이 되리라고 판단한 데서 취한 조치였던 것이
다.

벌컥 뒤집힌 일인 사회는 곧바로 반격으로 나왔다. 4월 28일
감영의 선화당(宣化堂)으로 몰려간 일인들은 "악법 반대!" "반일
감찰사는 물러가라!"라며 격한 데모를 벌였다. 결과는 참담했다.
일군 수비대장 히다카 사이지(日高才二) 대위의 노골적인 협박과
중재를 빙자한 대구군수 박중양(朴重陽, 1872~1959)의 친일 언행
에 울화가 치밀 대로 치민 이용익은 이튿날 관찰사 자리를 박차
버리고 말았다. 천려일실(千慮一失)이라기엔, 그가 대구에서 모처
럼 빼든 '반일의 칼'은 허망하게도 너무 녹슬어 있었던 것이다.
부임 석 달 만에 대구를 하직한 이용익은 이듬해 1월 망명지 러
시아에서 암살됨으로써, 쉰둘의 파란에 찬 생애를 끝내고 만다.

땅 투기 원조는 백 년 전의 일인들

1906년 10월 하순, 성벽 근처에 살던 대구 성내 사람들은 성벽이 무너지는 요란한 소리에 놀라 새벽잠에서 깼다. 집 밖으로 뛰쳐나온 사람들은 벌린 입을 다물지 못했다. 일인들의 지휘감독 아래 60여 명의 조선인 인부들이 10여 조로 나뉘져 사방에서 일제히 성벽을 부수고 있었기 때문이다.

영조 12년(1736) 6월에 축성된 대구성은 높이 18척(약 5.4미터) 총 길이 2,124보(약 2,200미터)의 석성이었다. 그동안 관리 부실로 군데군데 허물어진 곳도 있었으나 '대구 사람'이란 호칭 대신 '성내 사람'이라 불리길 더 좋아할 정도로 대구성은 은근한 자부심의 원천으로 대구 토박이들의 사랑을 받아왔었다.

주로 왜구의 침략에 대비해 축조된 평지의 성곽이었던 만큼, 임금의 윤허 없는 인위적인 파손 행위는 안보 차원의 중벌로 다스려져온 것이 전통이었다. 따라서 사전 예고도 없는 가운데, 다름 아닌 '굴러온 돌' 격인 일인들에 의해, 새벽에 벌어진 기습 철거행위는 조선왕조의 사직 한 귀퉁이를 무너뜨리는 상징처럼 비쳐 성내 사람들의 충격이 클 수밖에 없었다.

뒷날 무용담 삼아 늘어놓은 일인들의 '회고기' 등을 통해 대구 성벽 철거 사건의 속내가 드러난다. 당시 대구군수이자 경상북도 찰사 서리였던 박중양(朴重陽)과 대구의 일인들이 한통속이 되어 몇 년간 은밀하게 추진해오던 땅 투기 작전의 '완결편'으로 감행된 것이 이 사건의 숨겨진 진상이었다.

이 무렵 대구 성내의 땅값은 당시 일화(日貨)로 평당 23원꼴이었다. 반면 성밖은 불과 6원, 좀 비싸야 10원꼴이었다. 수입 성냥 한 갑이 4원 10전, 삿포로 맥주 한 병이 12원 50전 하던 시절이다. 따라서 성벽을 허물고 도로를 내면 땅값이 폭등하리란 사실을 이재(理財)에 잽싼 일인들이 모를 리 없었다. 때문에 이들은 값싼 성밖의 임야며 전답에 눈독을 들여 매물이 나오는 대로 싹쓸이를 해오고 있었다.

그다음의 일은 하루빨리 성벽을 허무는 공작이었다. 도로 개설의 장애물인 성벽부터 걷어내야 대구가 클 수 있다는 명분론을 앞세워 관리들을 부추겼다. 그러나 아무리 명분이 좋아도 절차상 관찰사가 올린 상소에 임금의 허락이 떨어져야 가능한 일이었다. 평균 재임 기간이 반년에 불과했던 구한말의 경북 관찰사들은 이 말썽스러운 중대 사안에 누구도 선뜻 총대를 메려 하지 않았다. 이때 등장한 인물이 박중양이었다.

적극적인 조기 철거론자였던 그는 이때 마침 관찰사 서리직을 잠시 겸하게 된 틈을 이용해 일인들의 모의에 동조했다. 부산

영남제일관

에서 은밀히 인부들을 불러들여 벼락치기로 성벽을 허물고 나면 최고 관리책임자 자격인 박중양이 온갖 행정적 뒷감당을 한다는 다짐 아래 자행된 기습 철거였던 것이다.

성이 헐리고 길이 나자 성밖의 땅값은 평당 60원, 성 안은 230원으로, 불과 반년 만에 열 배나 폭등했다고 일인들은 흥겹게 회고했다. 일제하 오구라 다케노스케(小倉武之助) 남선전기 사장과 같은 일인 재력가가 유독 대구에 많았던 것도 이때에 한몫 보아서 종잣돈이 푸짐했기 때문으로 전해진다. 헐값에 전답을 날린 조선인들이 땅을 치며 통음(痛飮)하는 한편에선 거부가 된 일인들의 건배 소리가 날로 높았다. 고종을 깔보고 '선 철거 후보고'를 했던 친일 원조 박중양은 그 뒤 투옥될 뻔했으나 이토 히로부미에 매달려 오히려 승승장구한다.

대구의 친일거두 '박짝때기'

　　친일 청산 문제로 뒤늦게 시끌벅적한 시대상을 보면서 대구 사람들은 더러 목격했거나, 귀동냥으로 들은 '박짝때기'의 일화들을 떠올릴지 모를 일이다. '박짝때기'란 대구 출신의 친일 거두인 박중양(朴重陽)의 별명이다.

　　지팡이나 막대기의 경상도식 표현이 '짝때기'다. 근대화의 물을 먹은 '개화쟁이'들이 한때 서양 신사들을 흉내 낸답시고 '개화장(開化杖, 스틱)'을 짚고 다니며 으스대던 풍조가 있었다. 벼슬이 높아진 박중양도 중년 이후 이 개화장을 애용하며 뽐내고 다녀, 사람들이 비꼬는 뜻에서 가져다 붙인 별명이 '박짝때기'였다. 뒤따르는 하인 한 사람을 대동하고, '朴'이란 큰 글자가 쓰인 전용 인력거를 타고 다니며 관가를 누비던 박짝때기였다. 그는 도지사나 고등법원장한테도 예사로 작대기를 겨누며 "기미 기타카(자네 왔는가)" 했는가 하면, 밉게 보인 순사쯤은 자기 집 사설 감방에 하루이틀 가두어두었다가 제복을 벗겨 내쫓기도 하는 등 특출한 일화를 남긴 인물이다.

1874년생인 박중양은 원래 경기도 양주(楊州)에서 태어났으나 1904년 대구군수로 부임하자, 대구의 풍물에 반해 원적(原籍)을 아예 대구로 삼고, 80 평생을 대구에서 살다 간 사람이다. 중인 출신으로 26세 때인 1900년, 한말의 관비 유학생으로 도쿄에 유학, 아오야마(青山) 학원과 도쿄 부기학교를 졸업한 신지식 청년이었던 그는 임관 얼마 뒤 이토 히로부미를 만나게 되면서 친일 출세의 길을 달리게 된다. 대담하게도 스스로 이토를 찾아가, "조선엔 희망이 없어 미국 유학이나 하고 싶으니 도와달라"라고 했더니, "당신 같은 기백 있는 조선 청년은 처음이다"라며 주선해준 자리가 대구군수 감투였다는 것이다.

그가 "이토 히로부미의 양자였다"라는 소문도 이런 연유에서 비롯되었는데, 정작 그 자신은 "양자는 아니고 은사였지"라고 함으로써, 이토와의 밀접했던 관계를 간접적으로 시인한 바 있었다. '은사'에 대한 보답에서인지 박중양은 친일을 초지일관의 신념으로 삼고, 권세와 영화가 보장되는 일이라면 물불을 가리지 않는 사람이었다. 임금의 허락도 받지 않은 채 대구성을 철거한 것도 그 일 예였다. 이토 히로부미의 비호로 오히려 평안남도 관찰사로 영전하게 되자, 일인들은 금시계를 증정하며 그의 '영단'을 두고두고 기렸다. 그의 후반생 은거지가 되었던 대구시 침산동의 침산(砧山, 일명 박짝때기산, 현 침산공원) 한 덩어리 전체도, 이때의 땅 투기로 거부가 된 일인들이 주선해준 '사은품'의 성격이 짙다는 소문이었다.

이후 그는 두 번째 경북 관찰사를 거쳐, 충남도 장관, 황해도 지사, 충북도지사 등을 역임하고 1927년에는 총독부 중추원 참

의, 1943년에는 마침내 훈일등(勳一等)
으로 서훈되며, 조선인으론 최고의 영
직인 중추원 부의장에까지 오른다.

박중양

해방 후, 반민특위가 활동할 당시
75세였던 그는 최고위직을 지낸 최고
령자의 한 사람으로 체포되었다. 그러
나 특위가 와해되면서 풀려나게 되자,
노령임을 핑계로 공공연히 친일 긍정론을 펴 대구 사람들의 분
노를 사기도 했다. 한술 더 떠, 83세의 고령임에도 일본 여자인
48세의 제2부인과 은거해 살던 1957년 10월에는 이승만 대통령
과 함태영 부통령의 젊은 시절에 관해 명예훼손의 발언을 하는
바람에, 검찰에 불려가야만 했다. "노망한 탓이니 한 번만 용서
해주소" 하며 빈 끝에 무사할 수 있었으나, 일세의 친일 거물 박
중양으로서는 인생 말년의 이 퇴락한 시절이야말로 수즉다욕(壽
則多辱)이자, 도타운 햇살(重陽)은커녕, 짙은 그늘(重陰)의 세월이
었음이 분명했다.

문화재 수탈 거물 오구라

　　　　　1964년 6월 17일, 대구에서 때아닌 '보물 소동' 이 벌어져 세상을 떠들썩하게 했다. 이날 대구시 중구 문화동 38 번지에 있던 육군 8053부대(방첩대)의 지하실에서 신라 시대의 각 종 토기를 비롯, 삼국시대 및 송·명대의 희귀 문화유물 149점이 발견되었다는 사실이 전국의 신문과 방송을 통해 전해졌기 때문 이다.

　지하실에 들어간 전기 수리공에 의해 처음 발견된 유물들 가운 데 신라 시대의 귀면와(鬼面瓦), 연화문와(蓮花紋瓦) 등 각종 토기 와, 고려시대의 청동경(靑銅鏡)과 자기류, 송·명대의 채색호(彩色 壺)와 옥잔 등 보물급 문화재가 다수를 차지하고 있었다. 발견 당 시 유물들은 60여 개의 오동나무 상자에 담겨, 6평쯤 되는 으슥한 지하실 바닥에 놓여 있었다고 한다. 보물급 유물 외에도 근대 일 본의 국보급 서화(〈동해도 53차〉) 20여 점과, 고려자기 및 일본의 근 대 고급 자기 수백 점도 함께 발견되어 고미술계를 놀라게 했다.

지하실이 포함된 주택의 원소유주가 일제 때 대구의 거부이자 유명한 고미술 수집가였던 오구라 다케노스케(小倉武之助)였음이 밝혀져, 이들 유물 역시 그가 수집 소장하다가 일제 패망으로 귀국하면서 은닉해둔 것이라는 데 이론의 여지가 없었다.

1870년 8월, 일본의 지바(千葉)현에서 태어난 오구라는 가냘프면서도 지적으로 생긴 용모답게 유명한 도쿄제국대학 법대를 졸업, 35세 때인 1905년 봄, 이주 1세대의 일원으로 대구에 정착한 사람이다. 그는 이주해 오기 3년 전, 콜브란이란 미국인으로부터 민간 전기사업이 장차 조선의 유망사업이 될 것이란 귀띔을 받고, 이 사업에 관한 각종 자료를 잔뜩 갖고 대구에 왔던 것으로 알려진다.

대구성 철거에 따른 땅 투기로 전기사업을 위한 종잣돈을 듬뿍 마련한 오구라는 처음 50킬로와트의 소규모 발전사업에서 시작, 30여 년 만에 조선 전기계의 왕자로 등극할 수 있었다. 대구는 물론, 서울, 회령, 함흥, 광주, 울산, 제주, 여수, 순천, 고성, 안동, 경주 등 전국에 자매 전기회사를 거느린 대흥전기회사의 사주가 된 것이다. 이들 회사들이 해방 후 모두 남선전기회사로 통합되었다가 나중 한국전력의 모태가 되었으니 그 규모를 짐작할 수 있다.

전기사업에서 번 돈으로 금융업에도 진출한 그는 대구상공은행 두취(頭取, 은행장)와 대구증권회사 사장도 겸했다. 또 대구상공회의소 회두(會頭, 회장)와 경북도 평의원, 대구부(府, 시) 의원도 수차례 겸직, 대구의 대표적인 거부이자, 영향력이 큰 인물로 손

오구라 다케노스케

꼽혔다.

그의 취미는 골동품 수집, 그중에서도 신라 문화 유물에는 일가견을 지닌 독보적인 수집가였다. 국보급 신라금관과 금불상은 물론 각종 진귀한 토기류가 그의 수집 대상이었다. 이 밖에도 값비싼 고려청자, 이조백자, 청동 유물, 서화류 등이 대량으로 그의 손에 들어갔다.

전쟁 말기에 이 중 상당수가 일본으로 밀반출되어 안전한 곳에 은닉되었던 것으로 알려진다. 오늘날 일본에서 명성을 떨치는 바로 그 '오구라 컬렉션'의 모체이기도 하다. 20여 년 만에 발견된 대구 옛집의 유물도 결국 더 귀중한 탈출 봇짐에 밀려 뒷날을 기약하고 숨겨둔, 그의 '2류급 애장품'에 불과했던 셈이다.

골동품 수집에는 재력과 안목 외에, 열정이 따라야만 가능하다. 열정이 지나치면 '탐욕'일 수밖에 없는데, 오구라의 경우는 '열정'이란 미명 아래 조선 고미술에 대한 편집광적 수탈 욕구가 바탕에 깔려 있었다는 것이 정평이다. 오구라는 못다 가지고 간 유물들이 애석해, 여러 번 염탐꾼을 대구에 보냈다가 실망만 하고 숨겼다는 후문이다.

국채보상운동 불 지핀 서상돈

　"석 달만 담배를 끊은 돈으로 나랏빚을 갚자"
며, 1907년 2월 대구에서 시작된 '국채보상운동'은 꼭 90년 뒤인
1997년 11월 IMF 환란 때 다시 한번 의미를 되새길 수 있었다.
외채를 덜기 위해 시작된 민초들의 자발적인 '금 모으기 운동'이
'제2의 국채보상운동'과 유사하다는 평가를 받았기 때문이다. 무
엇보다 못난 위정자들 탓에 선량한 국민들이 남부끄러운 고통을
받았다는 사실만은 공통된다. 또 '운동'의 산술적 성과 여부는 별
개로 치더라도, 민초들이 뿜어낸 애국의 기개만은 둘 다 내외에
과시한 바 있었다.

　술은 끊어도 담배는 못 끊겠고, 한 끼 밥은 굶을망정 담배만은
피워야겠다는 사람들이 많다. 그만큼 어려운 것이 금연이요, 단
연(斷煙)이다. 일본 외채 1,300만 환을 갚기 위해 한 사람이 한 달
에 20전씩, 석 달만 담배를 끊어 모으자고 대동광문회(大東廣文
會)의 서상돈(徐相敦, 1850~1913)이 주도했을 때, 대한제국의 골초

들은 어쩌자고 순순히 따라주었을까. 그렇잖아도 이 무렵 '스타', '리리', '야마사쿠라', '아사히' 따위의 상표를 단, 향기 그윽하고 피우기 쉬운, 일본산 궐련들이 쏟아져 나와, 새로운 흡연 재미에 푹 빠져 있던 조선의 골초들이었다.

수입 궐련에 대한 인기가 치솟자, 대구의 두 연초 거상이던 마쓰모토(松本) 상점과 나카오(中尾) 상점이 무허가로 사제 궐련을 만들어 팔아 큰 재미를 보고 있었다고 당시의 일본 신문은 전하고 있다. 잎담배를 담아 물던 장죽이나 곰방대를 멀리하고 궐련 흡연에 한창 열을 내던 골초들이다. 대구에서만 당시 일화로 7만 원쯤 모아질 때까지 대부분의 사람들이 "나라가 언제 우리에게 밥 먹여주었어?" "망우초(忘憂草)마저 안 피우곤 이런 말세를 어떻게 살아?" 하지 않았다는 사실이 도무지 불가사의하다.

전국의 날품팔이 노동자, 기생, 백정, 인력거꾼들이 헌금에 더 열성적이었다는 기록은 더욱 놀랍다. 그들의 가난과 박탈당한 인권이야말로 '나라가 못 구해준' 대표적인 사례였는데도 말이다. 또 남성 중심 사상에 짓눌려 살던 대구, 서울, 부산, 진남포, 진주의 부인들이 패물을 모아 보상금조로 내놓은 것 역시 '눈먼 자식의 효도'치곤 너무도 섬뜩한 우국충정의 단성이라 아니할 수가 없었다.

이 모든 기적 같은 애국심의 발휘는 운동의 주도자 서상돈의 덕성과 친화력, 솔선수범하는 계몽정신이 불을 지핀 결과였던 것으로 전해진다.

1851년생으로, 증조 때부터 독실한 천주교 신자였던 그는 세 번이나 엄혹한 교난(教亂)을 겪고도 자수성가, 1886년에는 경상도 시찰관(視察官)이란 벼슬까지 제수받은, 대구 유수의 갑부였다. 천주교 대구교구 개설 후에는 성직자 돕기와 선교, 빈민 구호에도 족적을 남긴 인물이다. 서시찰(徐視察)이란 존칭으로 곧잘 불리

서상돈

던 그는 남보다 싼 소작료를 받아 인기였다. 소작권은 공평하게 나눠주었으나, 다만 천주교 신자에게 우선함으로써 선교의 기회를 넓히려 애썼다.

신부가 예비신자에게 세례를 주기 직전, 교리를 얼마나 깨우쳤나 물어보는 '찰고(察考)'라는 수순이 있었다. 첫 질문은 대체로 입교(入教) 동기에 관한 것으로, 신부가 한 촌로에게 물었다.

"신자는 어찌하여 성교(聖教)를 믿나뇨?"

말이 떨어지자마자 촌로는 거침없이 대답했다.

"서시찰 어른 논 부칠라꼬예!"(논 부치다 : 소작하다)

물론 정답은 아니었으나, 너무도 솔직한 답변에 신부는 웃고 넘어가지 않을 수 없었다. 대구에 있는 국채보상공원을 볼 때마다 아무리 훌륭한 제2의 서상돈이 나와도, 제3의 국채보상운동만은, 그리고 위정자들의 그 비슷한 '나라 말아먹기'만은 제발 없었으면 싶어진다.

대구의 정치인물 서상일

"신랑 입장!" 하는 사회의 선언을 신호로 한 인
사가 얼른 단상에 올라가 '선언문'을 낭독했다. 그러자 "유신잔당
물러가라!" "통대선거 결사반대!" 등의 구호가 장내에 터져 나왔
다. 결혼식은 삽시간에 반체제운동으로 돌변했다. 1979년 11월
24일 오후 서울에서 있었던 'YWCA 위장결혼식 사건'의 한 장면
이다.

결사와 집회의 탄압을 모면하기 위한 이런 기발한 위장풍속
집회사건의 원조는 실은 106년 전의 대구였다. 1915년 음력 정
월 대보름날, 지금의 대구시 남구 대명동 앞산에 있는 안일암(安
逸庵)에서 있은 일이었다. 이날 서상일(徐相日, 1887~1962)을 비롯
하여 이시영(李始榮, 1869~1953), 박상진(朴尚鎮, 1884~1921) 등 35
명의 영남 지역 애국 유지들은 명절을 기리는 글짓기 시회(詩會)
를 연다고 일경들을 속이고 실제로는 '조선 국권회복 부흥단 중
앙총본부'를 결성했던 것이다. 독립운동사에 널리 알려진 일명
'안일암 사건'이었다.

사건의 주역이자 이런 위장 집회 아이디어의 '지적 재산권 소유권자'라 할 사람이 바로 동암(東庵) 서상일이었다. 1887년 대구에서 태어난 동암은 이에 앞서 1909년에는 김동삼(金東三), 안희제(安熙濟) 등 80여 명의 동지들을 규합, 대동(大東)청년단을 조직했고, 경술국치의 해에는 '9인 결사대'를 조직, 각국 공사에 선언문을 돌린 후 자결할 계획이었던 '9공사 사건'을 벌였다. 안일암 사건 이후인 1919년에는 대구에서 3·1만세운동에 참가했으며, 이듬해에는 만주로부터 무기 반입을 꾀하다 잡혀 투옥되었다. 1924년 이후에는 동아일보 대구지국을 운영하면서 대구 사회의 공청(公廳)이라 할 조양(朝陽)회관을 건립, 계몽운동에 헌신하기도 했다.

해방 후, 한민당의 총무와 과도입법의원을 거쳐, 1948년 대구에서 제헌국회의원으로 당선되어 헌법기초위원으로 내각책임제 개헌안을 제출한 바도 있었다. 이후 반독재 투쟁의 길에 나선 그는 1956년에는 진보당 창당의 중심인물이 되었다. 1960년에는 사회대중당을 창당, 대표최고위원에 오르는 한편 5대 민의원의원으로 당선되었다. 그로선 사회민주주의 정당 활동의 전성기였던 이 시기를 고비로 1961년에는 분열된 혁신세력을 모아 통일대중당을 발기했으나 5·16으로 무산, 이듬해 작고함으로써 다난한 정치 일생을 끝낸다.

한국 현대 백년사에 일제강점기와 해방 후의 건국투쟁기, 그리고 50년대의 민권수호기와 혁신운동기에 동암만큼 듬직한 족

서상일

적을 남긴 인물을 대구는 물론 전국에서도 쉽게 찾기 어렵다. 그럼에도 대구 사람들은 그를 회상하고 기리는 일에는 무신경에 가깝다. 일제하 무역업도 하던 그가 사업상 일인 상공업자들과 어울렸던 모습을 두고 '훼절 운운' 하던 좌파들의 음해가 아직도 유효해서일까. 창씨개명도, 신사참배도 거부해온, '옹고집쟁이' 동암이요, 이승만과 타협했더라면 가시밭길 대신 총리 한자리쯤은 차지하고 남았을 거목이었다.

"동암과 같은 대구의 큰 인물을 대구 사람들이 섬겨주지 않으면 누가 해줘? 흔해빠진 기념사업회 하나 없는 것도 유감이지만, 후대들에게 업적을 알려줄 동암전기 하나쯤은 나왔어야 대구 사람들의 체면이 설 게 아닌가. 다른 지방에선 동암보다 훨씬 처진 인물도 금쪽같이 떠받드는 세상인데 말이야." 해방 직전 '단파방송 사건'으로 옥고를 치른 대구사범 출신 독립운동가 고(故) 송남헌(宋南憲) 민족정기 명예회장이 곧잘 하던 탄식이다.

현실정치의 '널뛰기'를 보는 데 지쳐, 흘러간 거인을 깜박 잊었다기엔 애향심이 유난히 강하고 앞장서길 좋아하는 대구 사람들이다. 그래서인지 지금 와서 보면 국민 다수를 실망시킨, '별 대단한 존재'도 아니었던 YS나 DJ의 잘나가던 한때를 보면서, 대구에서도 잠시 질시 섞인 '거목대망론'이 일곤 했었다. 하지만 가꾸고 아껴야만 거목은 자라거늘. 동암에 무심했던 예를 봐도 자성이 먼저여야 순리가 아니었을까.

광복회 사건과 장택상 가문

경술국치 이후 우국청년들은 공허한 이론 공방을 거부하고 곧바로 무력항쟁의 길로 나선 경우가 적지 않았다. 경주 사람 박상진(朴尙鎭)을 중심으로 한 광복회(光復會) 회원들이 친일 부호들을 대상으로 국권회복운동 자금을 강제 모금하던 중, 1917년 11월 전 경북관찰사 장승원(張承遠)을 권총으로 살해한 사건도 그 대표적인 예였다.

칠곡군 인동(仁同)의 거부였던 장승원은 1904년 봄, 당시 의정부 참찬(參贊)직에 있던 왕년의 의병장 왕산(旺山) 허위(許蔿) 선생에게 매달려 보직에 힘써주면 20만 원의 의병군 자금을 내겠다는 맹약을 하고 경북관찰사직에 오른 사람이었다.

그러나 그는 약속을 지키지 않았을 뿐만 아니라, 1908년 왕산이 일군에 잡혀 순국하자, 이 약속을 추궁하는 왕산 문하의 의병들을 오히려 고발하는 무리수를 저질렀다. 이 밖에 1934년 일제의 경북도 경찰부가 펴낸 『고등경찰요사(高等警察要事)』란 책에

박상진 의사

따르면 장승원은 왕실 토지의 편취, 부녀자 구타 살해 후 병사했다는 허위 검안서 제출 등의 나쁜 소문으로 의병들의 징치(懲治) 대상 제1호였다고 한다.

이에 박상진 의사의 지시를 받은 채기중, 강순필, 강찬순, 임봉주 등 4명의 광복회원은 권총을 휴대하고 11월 10일 장승원의 집에 잠입, "겨레를 위해 죽일 수밖에 없다"라며 사살하게 된다. 이 사건 외에, 충남 아산에서의 비슷한 사건 등으로 일경에 체포된 49명의 광복회원 중 박상진, 채기중, 강순필, 임봉주, 김한종 김경태 등 6명의 의사는 1918년 2월 사형을 언도받고 순국하기에 이른다.

순국 의사들은 50여 년이 지난 뒤에야 건국공로훈장들을 추서 받게 되지만, 이들의 유족과 후손들은 한결같이 지독한 가난을 대물림하며 빈곤의 고통에서 헤어나지 못했다.

반면에 장승원 가(家)는 누대에 걸쳐 권세와 영화를 누리는 대조적인 삶을 살아왔다. 그에게는 세 아들이 있었다. 맏이인 길상(吉相)이 은행장, 둘째인 직상(稷相)이 중추원 참의, 셋째인 창랑(滄浪) 장택상(張澤相, 1893~1969)이 건국 후 국무총리를 지내는 등 대단한 이력의 소유자들이었다.

맏이인 장길상은 부호인 아버지의 후원 아래 일찍 금융계로

진출, 일제하 대구 유수의 은행이
던 경일(慶一)은행의 두취가 되어,
가문의 재력을 반석 위에 올려놓
았다. 둘째인 직상은 1910년 경북
신령(新寧) 군수직과 함께 총독부
고등관직에 올랐으나, 형 길상이
경일은행을 설립하자 사업가로 변
신, 이 은행의 전무를 거쳐 1927년
에는 대구상의 회두(회장), 1930년

장택상

에는 총독부 중추원 참의에까지 오르는 등 화려한 친일 경력을
쌓았다.

가문이 지닌 재력에 힘입어 일찍 일본과 영국에 유학한 셋째
인 장택상은 유학 시절 김성수, 송진우, 이승만, 조병옥 등 인사
들과 사귄 인연으로 해방 후 대표적인 우익정당인 한민당 결성
에 참여하고, 수도 경찰청장직에 올랐다. 그가 공산당의 제거 대
상 1호가 될 정도로 타공(打共) 전선에서 괄목할 '전과'를 올린 것
도 이때였다. 친일파 청산을 제1의 과제로 삼던 좌익 세력을 박
멸함으로써 장택상은 나름대로 '살부지한(殺父之恨)'과, 가문에
드리운 친일 경력의 불명예에서 벗어날 수 있다고 판단했는지
모른다. 탁월하고 기발한 정치 기질의 소유자였던 그는 1950년
에는 국회 부의장, 1954년 5월에는 국무총리직에 올라, 부(富)에
이어 세속적인 명예마저 세상에 떨친, 장 씨 가문을 중흥한 인물
이었다.

박상진 의사 등이 건국공로훈장을 추서받은 것처럼 민주주의 수호와 민권 투쟁으로 말년을 보내고, 국립묘지에 안장된 창랑의 '건국에 이바지한 공' 또한 적지 않다. 비록 시기와 형식은 다르나 박 의사처럼 앞서간 순국선열에 비해 나라를 세우는 데 들인 공은 뒤지지 않는다고 보아 무방할 것이다. 그렇다면 개인이나 가문이거나 '뒤끝(결과)'이 중요하며, 그로 인해 광복회 회원과 창랑 가문 사이의 해묵은 앙금은 '건국'이란 공통분모를 통해 명부(冥府)에서나마 '화해의 강물'을 함께 이루며 흘러가고 있다 해도 좋을 것일까.

무오년에 덮친 스페인 독감

　　　　　　요즘 코로나19에 대한 공포가 세계적으로 확산
되고 있지만 103년 전 대구에는 이에 못지않은 살인 독감이 덮쳤
다. 경술국치로 나라를 잃은 지 8년 만인 1918년 무오(戊午)년 가
을, 조선의 민초들은 망국민의 비애와 더불어 진저리치는 가난
을 헤쳐가기도 벅찬 판에 이름도 생소한 역병(疫病)인 '서반아 감
기', 즉 세계적인 '스페인 독감'과 싸워야 하는 불운과 마주쳤다.

　이해 9월 초부터 번지기 시작한 독감은 하순에 들며 전국을
휩쓸었다. 조선총독부도 처음엔 은폐하는 분위기였다. 자신들
의 그릇된 방역 대책의 결과로 비칠까 싶어서였다. 그러다가 수
천만 명의 사망자를 낸 제1차 세계대전의 파생물로 유럽에서 시
작된 미증유의 급성 전염병임이 밝혀지자 뒤늦은 계몽에 부산을
떨었다. 총독부 주치의인 아리마 에이조(有馬英三)의 담화를 빌
려, 독감의 병원균은 '인플루엔자균'임을 밝히고, "인체의 저항력
은 약한 반면, 전염은 속하다"며 주의사항들을 늘어놓았다.

세계대전이 끝날 무렵인 1918년 봄부터 시작된 스페인 독감은 유럽에서만 2천만 명 이상의 희생자를 낸 것으로 알려진 무서운 전염병이었다. 이 세기적인 대재앙이 시베리아 열차를 타고 조선에까지 번져, 이해 9월부터 1919년 1월 말까지 넉 달 동안 대구는 물론 전국에서 742만여 명의 환자와 14만여 명의 사망자를 내기에 이르렀다. 당시 2천만 조선인의 약 37%가 독감에 걸린 셈이며, 이 중 약 2%가 사망한 꼴이었다. 조선 내의 일본인은 같은 기간 16만여 명이 발병했으나 1,300여 명만 사망, 조선인 치사율의 3분의 1에 불과했다.

조선인 발병률과 치사율이 일본인들에 비해 높았던 것은 평소 위생 관념이 저조했던 까닭도 있었지만 만성적인 영양부족으로 인한 저항력 결핍과 벅찬 치료비를 겁내어 진료에 소홀할 수밖에 없었던 열악한 의료 형편과 노동환경 탓이 더 컸다. 독감의 주된 피해자가 의외로 20대와 30대 전반의 젊은이들이었다는데, 이들 환자들은 영양 섭취나 충분한 휴식에 앞서 하루살이 노동현장에 나설 수밖에 없어 병을 키웠다. 이로 인해 앓아눕고 죽어나가, 농촌에선 한때 인력이 딸려 가을걷이도 못할 정도였던 것으로 전해진다.

총독부 기관지『매일신보』에는 '독감이 산출한 비극', '남편이 감기로 죽자 아내도 따라 죽어', '삼수군의 군수도 죽어' 등, '죽었다'는 내용의 기사가 연일 보도되었다. 이 신문은 또 11월 19일 현재 경북 도내의 환자 수는 12만 9,170명이며, 이 중 사망자수는 396명, 대구는 5,149명 발병에 11명이 사망했다고 경북 경

1918년 11월 16일에 『매일신보』에 보도된 독감 대유행 기사

찰의 집계를 인용해 보도했다. 그러나 일경들이 밝힌 사망자 숫자에는 어딘가 축소한 혐의가 없지 않았다. 공포심리 확산과 같은 사회적 파문을 염려해서였던 것 같다. 당시의 사정을 기록한 예천군의 한 농군의 일기('저상일월')를 통해 그런 의혹이 비쳤다.

"10월 10일. 돌림감기가 만연되었는데, 대구 공진회(共進會, 박람회)에서는 하루에 죽은 사람이 400명이라 한다. 듣기만 해도 소름이 끼친다. 각 도, 각 읍에 감기에 걸리지 않은 사람이 없는데, 대도시의 약재가 모두 바닥이 났다고 한다."

'하루 400명 사망설'은 좀 과장된 듯하나, 일경의 발표보다는 훨씬 많았음이 분명하다.

당시 대구에는 마치다(町田), 사히키(佐伯), 마유미(眞弓) 약국 등 일인들이 경영하는 양약방과 몇몇 개업의원도 있었다. 그러나 주머니 사정이 약한 조선인들에겐 그림의 떡이었다. 결국 약전 골목의 한약방으로 달려갈 수밖에 없었으나 워낙 환자가 몰려 일부 약재가 바닥났던 것이다. 이 바람에 "문전옥답은 신작로로 내주고, 얼굴깨나 예쁜 년은 왜놈에게 빼앗겼네. 말깨나 하는 놈은 감옥에 가고, 힘깨나 쓸 놈은 '목도'나 멘다."던 그 자조의 가락 중 끝 구절을 "힘깨나 쓸 놈은 돌림감기로 간다"로 고쳐 부르는, 처량한 무오년이 되고 있었다.

제2부

■

항일과 굴종의 수난시대

대구 기미만세운동의 진실 또는 착오

대구 기미(1919)년 만세운동의 '공식 D데이'는 3월 1일이 아니라 3월 8일이다. H아워는 12시 정오설과 1시설 양론, 집결 장소는 '큰 장(서문시장)'이었다. 장꾼들이 들끓는 '큰 장'이라야 더 많은 사람들의 주목과 호응을 바랄 수 있었고, 또 다른 장터로 소문이 잘 번질 수 있었기 때문이다. 그런데 1시간 시차의 양론이 있듯, 대구 만세운동은 자료마다 참여 숫자, 모의 날짜, 주동자의 이름과 직책, 심지어 D데이까지 적지 않은 차이가 있어 문제이다. 1934년에 나온 일본 경찰의『고등경찰요사』(약칭 요사)와, 1957년 대구 3·1정신동지회 위원장이던 손인식(孫仁植, 1894~1975, 내과의사)의 증언록, 그리고 1961년에 출간된『영남출신 독립운동 약전』(약칭 약전)이 그 예이다.

우선 손 위원장의 증언을 중심으로 각 설을 비교해보면 헷갈리는 점이 한둘 아니다.

계성학교 교사(약전엔 교감) 백남채(白南採, 1888~1950)와 제일교

백남채

회 목사 이만집(李萬集, 1876~1944), 같은 교회 장로(요사에서는 목사) 김태련(金兌鍊, 1879~1943) 등이 3·1 민족대표 33인 중의 한 사람인 이갑성(李甲成, 1889~1981)과 거사를 모의하기 시작한 날은 2월 25일(요사에서는 24일)이었다. 거사일이 늦춰진 이유는 3월 5일(요사엔 4일과 7일 두 번) 백남채와 홍주일(洪宙一, 1875~1927) 남산교회 장로(요사엔 천도교 대구교구장, 약전엔 교남학교 교장. 겸직?)가 일경에 예비 검속되었던 까닭이다. 학생 수가 가장 많은 대구고보 학생들을 끌어들이는 데 시일이 좀 걸린 탓도 있었다.

대구고보생의 동원책은 졸업 1년을 앞둔 3학년생이자 입학 2기생인 백기만(白基萬, 1902~1967, 뒷날 시인)과, 동기생인 이상백(李相伯, 1904~1966, 학자·체육인)의 형이자 그 무렵 중앙학교 자퇴생인 이상화(李相和, 항일시인)였다고 한다. 백기만의 회고에는 이상화가 "자네가 고보생의 동원에 책임을 지겠다면 계성은 내가 연락할 수 있겠는데"라고 하기에, "책임지지!"라고 했다 하므로, 손인식의 증언과는 상충된다(요사엔 4년생 허범과 급장 신현욱, 3년생 백기만, 2년생 하윤실, 1년생 김수천 등이 학년별 주동자였다 함). 당시 대구고보생 가운데는 2기생 조헌영(趙憲泳, 1900~1988, 뒷날 제헌의원, 납북), 김상열(金相悅, 경북대 총장), 백기호(白基浩, 대구인민당 간부,

월북), 4기생 이효상(李孝祥, 1906~1989, 국회의장)과 권중휘(權重輝, 1905~2003, 서울대 총장), 박영진(朴榮鎭, 필명 朴露兒, 희곡작가, 월북) 등 뒷날의 유명인사들이 시위에 참가한 것으로 전해진다.

어쨌든 이날 참가 학생 수는 계성학교가 100여 명, 성경학원이 20여 명, 신명이 40여 명(요사엔 50명), 고보생이 250여 명(요사엔 200여 명)이었고, 200여 명의 일반인 등 총 600여 명이 시위대를 형성했다. 김태연의 선언문 낭독에 이어, 이만집의 만세 삼창(약전에는 그 순서가 반대)을 신호로, 천여 명으로 불어난 시위대는 만세를 연호하며 대구경찰서, 종로, 중앙파출소, 달성군청(현 대백)까지 내달았다. 여기서 헌병, 경찰, 기마대, 80연대의 군인들에 의해 심하게 구타당한 뒤, 백수십 명(요사는 157명, 약전은 200여 명)이 체포되었다.

그 뒤 4월 1일과 8일에 산발적인 시위와 '동정 철시'도 있었다. 이상화의 막냇동생인 수렵가 이상오(李相旿, 1905~1969)는 그의 유고집에서 자신이 대구고보 신입생으로 입학식을 끝낸 직후인 4월 1일 토요일 오후에 첫 시위를 벌였다고 50년대 말 주장했다. 2차 시위 날과 착각한 것이 아니라면 불과 40년 만에 이토록 증언이 상반되는 이유는 뭘까. 그러나 우리를 부끄럽게 한 것은 33인 중의 생존자로, 기념식 때마다 독립선언문을 낭독하던 대구 연고인 이갑성이 3·1정신을 배반했던 최린(崔麟, 1878~1958)이나 박희도(朴熙道, 1889~1952)와 다름없는 '변절자'였다는 사실이 뒤늦게 밝혀진 점이다. 대구의 기미만세운동을 떠올릴 때마다 뒷맛이 영 찜찜한 까닭도 이 같은 위선이나 착오가 다른 곳에도 숨

어 있을지 모른다는 기우 때문일까. 또 인구 비례로나 문화 수준
으로 보아, 타 도시는 물론 영덕, 안동, 상주 등 도내의 군, 면지
에 비해서도 대구의 시위 양상이 상대적으로 '온순'했고, 희생자
또한 적었던 점이 마뜩잖은 여운으로 남아 있다.

동족에 배반당한 장진홍 의사

1927년 10월에 있은 대구 조선은행 지점 폭탄 사건은 같은 해 12월의 동척(東拓) 사건과, 8년 전의 서울 동대문 사건, 밀양사건과 함께 그 무렵 조선 내의 4대 폭탄 사건 중의 하나로 일제의 간담을 가장 서늘케 한 사건이었다. 대구의 일인 고관들과 친일 토호들의 목숨을 노린 이 사건의 주역은 1895년 경북 칠곡군 인동에서 태어난 장진홍(張鎭弘, 1895~1930) 의사였다. 아쉽게도 일본 경찰 네 명의 중경상자만 내고 체포된 후 사형선고를 받은 장 의사는 "왜놈의 손에 교수형을 받을 수 없다"며 1930년 6월 5일, 36세를 일기로 대구형무소에서 자결했다. 옥중에서까지 항일의 투지를 과시하고 분사한 장 의사였다.

장 의사는 폭탄사건 후 용의주도한 은신술로 일경의 수사망을 따돌렸다. 그러나 은신 2년 반여 만에 조선인 밀고자와 조선인 고등경찰관에 의해 체포됨으로써 그를 추모하는 인사들의 안타까움을 더했다. 일제가 1936년에 펴낸『조선 사상범 검거 실화집』에 따르면 이 사건을 전담한 수사관은 경상북도 경찰부 고등

장진홍 의사

과의 최석현(崔錫鉉, 1893~1956)으로, 당시 경부보(警部補)였다. 최 외에 대구경찰서의 남(南) 순사부장과 정(鄭) 순사가 있었다. 당시 후쿠다(福田) 고등과장 휘하엔 구보다(久保田)란 일인 경부도 있었지만 최석현이 수사반장 역할을 했다.

1893년 경북 봉화에서 출생해, 나중 야마모토 쇼시(山本祥資)로 창씨개명한 최석현은 심산(心山) 김창숙(金昌叔, 1879~1962) 지사를 앉은뱅이로 만들었을 정도로 독립지사들에 대한 악랄한 고문으로 악명을 떨친 경찰이었다. 이런 공로 등으로 경시(警視, 총경급)로 진급한 그는 해방 직전 강원도의 고등경찰과장이란 막강한 지위에까지 올랐었다. 이들 조선인 고등경찰들의 간계에 의해 저항시인 이육사(李陸史, 1904~1944)도 두 아우와 함께 대구형무소에서 3년간의 옥고를 치러야만 했다. '육사'란 호도 이때의 수인번호 64번에서 유래된 것이었다.

「대구조선은행지점 폭탄범을 법정에 보내기까지」란 소제목으로, 최석현이 무용담 삼아 자필한 앞의 '실화집'에 따르면 이 폭탄 사건은 한때 미궁으로 빠질 뻔했었다. 그것을 최 자신이 후쿠다 고등과장을 설득, 재수사하게 되었으며, 이후 조선인 박모의 결정적인 밀고로 급진전이 되었던 것으로 기록되어 있다. 가명 박모는 뒷날 일본 헌병대의 주구 노릇을 한 김아무개로 밝혀졌다. 최의 '무용담'에는 이 외에도 10여 명의 남녀 조선인들이

당시의 신문보도

수사의 하수인 노릇을 톡톡히 한 것처럼 묘사돼 있다. 마치 동족 여럿이 합세하여 한 사람 동족의 고난에 찬 독립투쟁을 짓밟은 형국이다.

사실 일제에 강점된 지 스무 해쯤 되던 이 무렵은 강점 초기와 는 달리 저들의 교활한 이이제이(以夷制夷) 수법이 제법 먹혀드는 세태였다. 회유가 안 통하면 매수요, 그마저 안 되면 협박이었 다. 조선 사람을 앞세울수록 일은 수월히 풀렸다.

"이미 저들의 세상이 되었겠다, 살아보니 그전이나 지금이나 민초들이 살기는 매한가지더라. 나라가 있을 때도 언제 나랏님 이 백성을 보살펴주었더냐. 탐관오리들의 가렴주구인들 좀 심했 느냐. 그 판에 상놈이다, 백정이다, 하며 사람 취급인들 해주었 더냐."

동족을 등친 무리들의 주장 가운데는 이렇듯 천연덕스러운 항 변도 없지 않아 있었다. 장진홍 의사의 폭탄 투척은 어쩌면 이런 일부 약삭빠른 기회주의자들의 자기 합리화 논리나 토호 향반들의 몸조심 친일에 대한 이중의 경종이었는지 모른다. 그러나 불행히도 어느새 세뇌되어 힘을 기른 일제의 충견들에 의해 문턱에서 좌절되고 만 아쉬움을 남기고 말았다.

대구 학생 사건과 김성칠

일제하 단일 학생 결사 사건으로선 가장 많은 희생자를 낸 사건은 1928년 11월에 있은 '대구 학생 비밀결사 사건'이었다. 대구의 고등경찰 9명이 넉 달간 전속으로 매달려, 11월 6일부터 대구 시내의 남자 중학생을 대상으로, 전후 105명을 구속한 후, 12월 이 중 결사 간부 26명을 검찰에 송치한 것이 사건의 개요이다. 대구사범학교의 현준혁(玄俊赫) 교사가 지도한 '사회과학 연구 사건'보다 1년 앞서 발생한 사건으로 대구의 남자 중학생 학부모들 중 대여섯 집에 한 집 꼴로 경찰의 폭압적인 가택 수색을 받아야만 했다. 무진(戊辰)년도 저무는 세모의 대구 거리는 이 일로 전에 없이 술렁거렸다.

일경에 의해 밝혀진 결사단체는 '신우(新友)', '혁우(革友)', '적우(赤友)', '우리동맹' 등 7개 단체였다. 이 단체들의 지도강사는 박광세(朴光世), 장적우(張赤宇, 본명 장홍상, 1902~) 등 사회주의 의식을 지닌 청년들이었다. 이들로부터 독립사상과 사회주의 교육을 받고 해방 후 이름을 떨친 학생은 대구고보의 윤장혁, 상무상, 김일식, 황보선, 김성칠 등과, 대구중학의 조은석, 대구농중의 권태호, 대구상업의 장원수 들이었다. 특히 고보생들은 교내 언론 집회의 자유, 조선 역사 과목의 신설, 조선어 학습 시간의 연장, 불량 일인 교원의 경질 등 일제의 식민지 교육 자체를 부정하는 요구 조건을 내걸며 동맹휴학을 하기도 했다.

구속된 학생들과 지도강사들은 1년에서 3년 전후의 감옥살이를 했는데, 이들이 대구형무소에 구금되어 있을 때인 1930년 6월에 바로 장진홍 의사의 옥중 자결 사건이 발생했었다. 소식을 전해들은 수감 학생들은 일제히 감방 벽을 부수며, 분사한 장 의사를 살려내라고 농성한 데 이어 단식에 돌입했다. 맹휴와 결사에 못지않은 비장한 옥중 투쟁이었다. 그러자 일경은 윤장혁(尹章赫, 1911~1968) 등 주동자 몇 명을 '건조물 파괴'라는 죄명을 덧씌워, 징역 8개월의 가형(加刑) 처벌을 하는 이중의 악랄함도 보였다.

'비밀결사 단체'라 했지만 일제 고등경찰이 자신들의 수사 실적을 부풀리기 위해 과장한 바도 없지 않았다. 실제는 신진 사상에 대한 지적 호기심을 충족시키기 위한 '독서 동아리' 모임에 가까웠다. 사회주의(공산주의) 학습은 당시의 지식 청년들로선 흔히 있는 신사상 연구 풍조의 하나였다. 일본에서도 사회주의 서적과 사상에 접해보지 않으면 지각이 모자라는 학생이란 소리를 들을 정도였다. 따라서 학문적 관심이 일차적이어서, 일인 관헌들 가운데도 성장기 청년들의 이런 연구 풍조를 대범하게 보아주는 인물도 없지 않았다.

1년 넘게 구속되어 있던 대구고
보 2년생인 나이 어린 김성칠(金聖七,
1913~1951, 뒷날 사학가)에게 뜻밖의 기
소유예 처분을 내리면서 담당검사가
했다는 말 역시 그런 뜻에서 새겨볼
만했다. "15세 미만의 사상범을 만드
는 것은 대일본제국의 명예에 하나도
보탬이 되지 않는다."

김성칠

15세 미만인 덕에 퇴학만을 당한 김성칠은 일본의 국경일만
가까우면 매번 가위눌림을 당했다고 한다. 잦은 예비검속에 심
신이 움츠러들어서였다. 그럼에도 그는 과감히 도일하여 경직
된 사회과학 지식만이 아닌 더 많고 다양한 지식을 흡수함으로
써, 해방공간에서 선배들이 즐겨 찾던 마르크시즘의 강물을 뛰
어넘어, 폭넓은 안목의 사학자로 성장할 수 있었다. 6 · 25 때 서
울에 갇힌 그는 좌우에 편향됨이 없이 '붉은 서울'의 실상을 낱낱
이 일기장 「역사 앞에서」에 담았다. 신변의 위험을 각오하면서도
피 끓는 역사의 현장을 기록할 수밖에 없었던 그는 천성의 역사
기록자였다. 그러나 이듬해 가을, 고향인 영천에서 어이없게도
괴한에게 피격되어 원사(寃死)하고 만다. 아무리 '미친 세월' 탓이
었다지만 생전에 『조선역사』 『주해 용비어천가』와 『열하일기』 『대
지』 『초당』 등의 번역을 해온 일보다, 해야 할 일이 더 많았던 사
학자이며 번역가였던 서울대 교수 김성칠로선 무엇보다 38세의
한창나이가 두고두고 아까웠다.

작가 지하련의 대구 시절

1932년 1월 말, 대구경찰서 유치장 여감방에는 여성 사상범 혐의자들이 다섯 명이나 한꺼번에 수감되는 드문 풍경이 벌어졌다. 그 전해 7월 대구에서 열린 '공산주의자 협의회'의 조직 활동에 가담한 여성 오르그(조직자)란 것이 일경이 밝힌 이들 수감 여성들의 '정체'였다. '공산주의 협의회 사건'(약칭 '공협사건')이란 1·2차 공산당 사건으로 조선 공산당의 조직이 와해되자 잔여 세력이 조직 부활을 꾀하고 처음 서울에서 협의회를 조직하려다 여의치 않자 대구에서 재차 협의회를 갖게 된 것을 뜻했다.

여성 사상범 혐의자들은 일경의 눈을 속여가며 남편의 조직 활동을 도운 아내이거나, 아예 부부로 위장한 동지 사이, 혹은 주동자의 친인척 여인이었다는 것이 일경의 발표였다. 이들 중 가장 눈길을 끈 여인은 갓 스무 살의 앳된 처녀인 이현욱(李現郁, 호적명 李叔姬, 1912~1960)이었다. 바로 8년 뒤의 여류작가 지하련

(池河連)이자, 이 공협사건의 고위 조직자였던 이상조(李相祚), 이상북(李相北) 형제의 누이동생이었다. 그녀는 두 오빠들을 도와 대구 고무공장의 여공들을 조직에 끌어들이려 한 혐의로 구금되어 있었다. 일경의 한 자료집에 의해 최근 밝혀진 이러한 사실은 지금까지의 어떤 지하련 관련 연구서에서도 드러나지 않은 내용이다. 이 사건의 수사반장 역시 조선은행 폭탄 사건 때 장진홍 의사를 체포한 악명 높은 조선인 고등경찰관 최석현이었다.

구금된 지 석 달째인 4월 말, 그녀는 때마침 5월 1일의 메이데이를 앞둔 일경의 이른바 예비검속에 걸려 7호 감방에 들어온 대구의 좌익 청년들과 유치장에서 조우하게 된다. 서로 지면이 있는 사이라, 이현욱은 미소로서 알은체했을 뿐이다.

감방에서 만난 청년들은 5월 하순 예비검속에서 풀려났고, 이현욱은 2년여의 징역 판결을 받은 오빠들과는 달리 6월 중순 집행유예로 석방되었다. 이후 이현욱과 청년들은 대구의 한 다방에서 담소할 기회를 가지지만, 이현욱은 동지애를 강조하며 대구 청년들의 관심을 차단하였다.

그러했던 이현욱이 2년 뒤, 정작 자신은 아이 딸린 이혼남이자, 폐병 환자인 카프 시인 임화(林和, 1908~1953)와 전격 결혼함으로써 주위 사람들을 놀라게 했다. 마산의 부잣집 아들이었던 두 오빠가 어째서 고향을 두고 공협의 경북 대표가 되어 대구에서 활약했는지부터도 의문이다. 도쿄에서 고녀를 졸업한 인텔리인 이현욱의 경우도 혈연으로서 피치 못해서가 아니라, 오빠들의 사상에 전적으로 공감했기에 여성 오르그가 될 수 있었을까. 그렇다면 임화와의 결혼 동기 역시 애정이나 연민에서가 아닌 사상적 동지애에서 출발했던 것일까.

뿐더러, 결혼 후 단숨에 주목받는 여류작가가 된 것도 신기하지만, 일찍 월북한 뒤 남편 임화가 '미제의 스파이'란 죄명을 뒤집어쓰고 처형된 것 자체부터 의혹투성이다. 그녀가 구명을 호소하려 찾아갔을 때, 문단의 선후배들이 보여준 차디찬 반응에서 느꼈을 처절한 배신감은 어떻게 풀이해보아야 할까. 대구에는 여류 공산주의자로 일찍이 고명자(高明子)가 있었고, 부녀동맹의 맹장인 정칠성(丁七星, 1897~1958), 우신실(禹信實), 정귀악(鄭貴岳)도 있었다. 이들에 비하면 이현욱의 활동상은 미약하고도 짧았다. 그럼에도 대구의 좌익 청년들이 오래도록 그녀를 못 잊었던 것은 '낭만적 좌익 시절'에 보여준 그녀 특유의 '창백한 지성미' 탓이었을까.

대구의 문화공간 '무영당'

1930년대 중반의 대구는 인구 16만의 도시답게 교육문화도시로서의 면모를 제법 갖추고 있었다. 중학교 이상의 공립학교가 10개교, 사립학교가 4개교로, 이들 학생 수만도 5,500명이 넘는 숫자였다. 이에 버금해 70여만 권의 장서를 보유한 부(市)립도서관이 있었는가 하면, 학원도시 대구에 걸맞게 중대형 서점, 문구점만도 네 군데나 있었다. 지금 동성로 1가의 오하시(大橋) 서점과, 현 대안동(大和町)의 이토기치(伊藤吉) 상점, 모토마치(元町, 북성로)의 미나카이(三中井) 서적부, 그리고 현 서문로 2가인 혼마치(本町)의 무영당(茂英堂)이었다.

대구 제일의 백화점이던 미나카이란 상호는 두 명의 나카에(中江)와, 한 명의 나카무라(中村)란 동업자의 성(姓)에서 '삼중(三中, 미나카)'을 따고, 다른 동업자인 오쿠이(奥井)의 성에서 '이(井)'를 따 보태, '미나카이'로 작명한 것이었다. 무영당도 점주인 이근무(李根茂)의 이름 가운데 '무성할 무(茂)'를 따, 꽃부리(英)가 무성한 나무처럼 사업이 번창하기를 기원한 작명이었다. 기원대로, 어느 대구사범 학생이 1학년 때 보았던 50여 평의 점포가 졸업 때에는 100여 평으로, 몇 년 뒤엔 다시 2층까지 있는 작은 백화점으로 뻗어나 있었다.

1902년생인 이근무는 내로라 하는 일인 장사꾼들도 손을 들고 나왔다는 '개성 깍쟁이' 출신인 데다가, 한술 더 떠 그 시절의 책방 주인으론 드물게 개성상업학교를 졸업한 알짜 개성상인이었다. 합자회사였던 오하시 서점과 주식회사였던 미나카이 서적부의 사주가 일인인 반면, 무영당은 조선인 이근무의 개인서점이었다. 자본력이 큰 일인들의 법인서점에 비해 조선인의 개인서점은 경쟁이 안 되는 듯싶었으나 사정은 정반대였다. 조선인 학생들이 학교 근처의 자잘한 서점을 들를 때를 제외하곤, 방과 후 번화가를 나들이 삼아서라도 대부분 무영당을 찾아주었던 것이다. 같은 조선 사람의 서점이란 동질감 탓도 없진 않았지만, 무엇보다 이근무 점주가 꾸밈없는 친절과 공손한 자세로 학생들을 대해준, 뛰어난 접객 수완이 주효했기 때문이란 사람들의 평가였다.

그는 고객의 기호에 맞는 서적을 달리는 일 없게 구비해두는데 수완을 보였지만, 떨어져도 약속한 날짜 안에 꼭 구해주었다. 판금 조치가 강화되기 전인 1930년대 초까지는 범칭 '사회과학서적'도 무영당에 가면 구할 수 있어, 대구의 청년 '주의자'들은 재학 시절에 이어 졸업 후에도 사상적 목마름을 풀어주는 문화공간으로 무영당을 사랑했다. '주의자'들이 즐겨 찾던 서적은『가난 이야기』『자본론』『공산당선언』『조선전위당 볼셰비키화를 위

1930년대 대구의 번화가 중 한 곳인 모토마치 거리(현 서성로).
이곳에 무영당이 있었다.

하여,『사회주의 리얼리즘 창작방법론』등과, 마르크스와 엥겔스, 레닌, 크로포트킨 등의 각종 저서, 기타『프로문학』『일하는 부인』등 주로 일어로 된 좌익 서적들이었다.

　일제의 군국주의가 날로 기승을 떨쳐간 30년대 중반 이후, 이런 금서들의 판매는 물론, 보이기만 해도 잡혀가, 더 이상 서점 주변에선 구하기 힘들었다. 이 때문에 2층의 한 코너는 전시장으로 쓰여, 화가들의 작품 발표회도 잦았다. 아울러 '주의자'들끼리의 사교나 접촉 공간으로도 무영당은 곧잘 애용되었다. '대구 공산주의자 협의회 사건'의 주역인 이상조(李相祚)가 이곳을 찾은 유(兪)모란 청년에게 말을 걸어, 조직원으로 포섭했다는 일경의 발표 역시 온통 과장된 것만은 아니었다.

　이근무 역시 직간접으로 일경의 시달림을 받았다. 따라서 그는 오야마 시게루(大山茂)로 창씨개명해 대구상의 회원이 되는 등, '충량한 신민'으로 행세하며 일제의 발악 시대를 용케 버티어 내었다. 또 '주의자'들이 가택 수색을 당해 가끔 금서가 튀어나와도 딴 데서 샀다며 이근무를 감싸준 덕택도 없지 않았다. 하지만 대구 제일의 무영당 거리가 어느덧 한적한 뒷길로 변했듯, 일제 시절 그의 화려했던 한 시절도 돌아보면 한갓 덧없는 꿈이 되고 말았다.

무영당에서 주로 취급한 란도셀(책가방)을
메고 등교하는 어린 학생들

일제하 대구의 부자들

일제하 대구의 조선인 부자라면 경북농회 부회장과 경북도 평의원을 지낸 이장우(李章雨)와, 그의 족친이자 시인 이상화의 백부인 이일우(李一雨), 중추원 참의를 지낸 서병조(徐丙朝)와 서병국(徐丙國), 시인 이장희(李章熙)의 아버지인 이병학(李炳學), 그리고 정해붕(鄭海鵬)과 정재학(鄭在學), 장길상, 장직상 형제 등을 꼽을 수 있다. 정재학과 장 씨 형제는 나중 토지자본을 금융자본으로 바꿔 은행 경영에 몰두했지만 이장우만은 독보적이었다.

한말의 보병 부위(副尉, 중위) 출신인 이장우는 칠곡 현감을 지낸 아버지로부터 본래 4백 석의 재산을 물려받았던 것으로 알려졌다. 그런 그가 20여 년 뒤, 대구의 일인들로부터 '대구 유수의 재산가'란 공공연한 평판에 이어, 조선인들 사이에서도 '2만 석 거부'란 소문을 듣고 있었다. 이일우가 세칭 '3천석꾼' 소리를 들었으니 이장우에 대한 소문이 사실이라면 그 규모가 얼마나 큰

지 가늠된다. 그때와 요즘의 쌀 한 가마, 땅 한 평의 값을 단순 비교하기는 무리이다. 그러나 요즘(2000년 초의 물가로) 최저 100억 원은 가져야 평범한 부자 소리를 듣듯이, 그때도 천석꾼은 되어야 부자 축에 끼었다. 따라서 이일우의 3천 석은 요즘의 300억 원 부자쯤에 해당되며, 2만 석이라면 2천억 원의 재산가라 해도 틀리지 않는다.

당대에 무슨 수로 그만한 거부가 되었을까. 당시 사람들은 그가 친일 세도가였던 박중양에 밀착하여 이권 사업으로 거만금을 모았다는 소문을 정설로 믿었는가 하면, 반대로 비록 한말의 끗발 있는 자리에 있었긴 했지만, 아무려나 4백 석이 2만 석이 될 수 있겠느냐며, 과장된 소문으로 치기도 했다.

서병조는 이장우의 재산에는 못 미치더라도 근검하고 선행을 많이 한 이일우보다는 거부라는 소문이었다. 적어도 5천 석, 최고 만석꾼으로 보는 사람들도 많았다. 그 역시 말년엔 적선도 적지 않게 했으나 참의 벼슬에 앞서 고종 때 대구잠업전습소 소장직 등도 거쳐, 청부(淸富)의 반열에 넣기는 무리가 아니냐는 세평이었다. 그도 경상농공은행 취체역을 맡는 등 점차 금융업에 관심을 보여갔다. 일족인 서창규, 서병원, 서병주, 서상현 등과 함께 조양무진(朝陽無盡) 회사를 차린 것도 그런 맥락에서였다.

금융업의 첫 단추는 장길상 형제가 끼웠지만 경상합동은행 두취였던 정재학의 성공으로 금융업은 30년대 이후 유망사업으로 각광받기 시작했다. 그러자 남선경제일보 사장이며, 대구상의 부회두이던 한익동(韓翼東)이 무진업에 뛰어들었고, 같은 대구 상의원인 임상조(林尙助), 허지(許智), 진희태(秦喜泰)도 가세했다. 이에 뒤질세라 술도가와 정미소를 운영하던 추병화(秋秉和), 병섭(秉涉) 형제도 '돈장사'에 한몫 거들었다.

그러나 남선양조장 사장 서병화(徐炳和)나, 대구제일의 직물업자 김성재(金聖在), 반월당 사장 차병곤(車炳坤), 무영당 사장 이근무, 곡상인 문유옥(文有玉) 등도 알부자였으나 한 우물만 파고 갔다. 삼성상회와 조선양조를 경영하던 삼성그룹의 창업주 이병철(李秉喆)은 1940년대 후반에 겨우 이름이 알려졌을 뿐이다.

요즘도 정권에 고분고분해야만 살아남듯, 일제하의 부자도 크든 작든, 자의든 타의든, 겉으론 친일을 않고는 못 살아남았다.

해방 후 이장우를 비롯한 대구의 지주들은 토지개혁 등으로 대부분 옛날의 영화를 잃었다. 또 은행이나 무진 업자들도 일제의 패망에 따른 금융 구조의 붕괴로 거의 대를 못 넘기고 큰 부자 반열에서 사라졌다. 일제하의 대구 부자들 중 이일우 집안만은 비록 재물은 갔어도, 그의 조카인 상정, 상화, 상백, 상오 4형제들이 떨친 용명으로 지난날의 명망을 이어갔다. 일찍이 열성으로 인재 교육에 투자했던 결과였다. 그러고 보니 한때의 부자란 지칭도 다 부질없고, 뭐니 뭐니 해도 재물은 '사람 재물' 이상이 없다는 속설을 다시금 깨닫게 해준다.

가다쿠라 여공들의 슬픈 역사

지금은 청구, 삼익 등 중산층 아파트와 대봉시장으로 변한 대구시 중구 대봉동 55번지 일대. 이곳 2만 5천여 평이 일제 때 우리네 할머니 혹은 어머니들로 하여금 피눈물을 자아내게 했던 한 맺힌 땅이었음을 아는 이는 과연 얼마일까. 이곳은 당시 일본제 사업계의 왕자였던 가다쿠라 겐타로(片倉兼太郞)가 1919년 봄, 자신의 이름을 딴 '가다쿠라제사방적주식회사 대구제사소'란 긴 이름의 공장을 설립하면서 '여공애사(哀史)'의 원부(怨府)가 된 자리다.

직조공장의 여공들

당시 대구에는 대규모 제사공장으로 가다쿠라 외에, 대구제사와 조선생사가 있었다. 이들은 모두 경북 지방의 질 좋은 누에고치와 값싼 노동력에 눈독을 들이고 생겨났는데, 대구의 가다쿠라는 일본 본사의 분공장 형태임에도 조선에서 제일 크다는 대구제사의 생산 규모와 맞먹는, 연산 17만 근(10만 2천 킬로그램)의 생사를 생산하는 대형 공장이었다.

5천여 평의 건물에서 일하는 850여 명의 공원 가운데 700명에 이르는 여공들의 근로 조건은 노예 노동과 다름없었다. 15세에서 17~18세의 어린 여공들은 하루 종일 섭씨 200도의 끓는 물에 담겨 나온 생사를 맨손으로 만져야 했다. 한 목격자의 증언에 따르면 "진종일 끓는 물에 손가락을 담아야 하니 손가락 살이 짓물려 허옇게 뜨고, 이것이 벗겨져 빨간 살이 드러났다"고 한다. 또 "김에 뜨고, 더위에 달아서, 부석부석해진 여공들의 얼굴에서 땀이 뚝뚝 떨어졌으며, 입고 있는 해어진 적삼은 물주머니가 되었다"는 것이다.

떡시루같이 뜨거운 공장에서 어린 여공들은 점심 휴식 시간 15분을 제외한 새벽 5시부터 저녁 7시까지 14시간을 계속 일해야 해, 꾸벅꾸벅 졸기가 예사였다. 그러면 50명 중 한 사람 꼴인 조선인 감독이 나타나 나무 막대기로 가차 없이 때렸다. 조선인 감독 역시 조금이라도 여공들의 사정을 봐주거나, 한눈을 팔면 일본인 총감독이 달려와 귀싸대기를 때리는 통에 여공들을 들볶지 않을 수 없게 되어 있었다. 기숙하며 받는 쥐꼬리만 한 월급이 나물죽으로나마 때우는 대여섯 식구의 유일한 생계수단이었으므로 여공들은 뼈를 깎는 노예 노동을 겪으면서도 제 발로 공장을 박차고 나오지 못했다.

가다쿠라뿐만 아니라, 대구제사나 조선제사 여공들의 열악한 근로 조건 역시 다를 바 없었다. 그래서 대구의 제사공장 주변에서 선 서글픈 노랫가락이 자연스럽게 번졌다.

> 저기 가는 저 각시 공장에 가지 마소,
> 한번 가면 못 나오는 저 담장이 원수라오.
> 가고 싶어 가는가요, 목구멍이 원수이제,
> 이내 몸 시들거든 사다리나 놓아주소.

사다리를 놓아달라는 구절은 죽을 지경이 되어도 혼자 힘으로는 공장 담을 넘을 수 없으니, 도와주려거든 입에 풀칠할 생계 대책과 함께 도와달라는 애절한 탄식의 호소였다.

주로 미국에 수출되던 대구의 질 좋은 생사로, 이들 세 회사에서만 한 해 약 400만 원의 거금을 벌어들었다. 일인 공장주들에게 쥐어짜여야 했던, 세 공장의 모두 2,200여 명에 이르는 여공들의 20%가 대구와 달성군 출신이었다. 80%는 군위, 경산, 칠곡, 선산, 김천, 청도, 상주, 밀양 등지에서 몰려온, '남아도는 농촌인력'들이요, '입만 먹여줘도 고맙다'는 절량농가(絕糧農家)의 딸들이었다. 그렇건만 막상 노동현장에 임했을 때, 이들 어린 여공들은 죽지 못해 일해야 하는 스스로의 운명에 밤마다 부둥켜안고 피울음을 울지 않을 수 없었던 것이다.

그 원한의 현장인 가다쿠라 공장 터가 아파트와 저잣거리로 바뀐 오늘, 등 따습고 배부른 젊은 세대 일부는 할머니 세대들의 이런 피어린 '여공 애사'를 알기는커녕 이만큼이나마 살게 된 것이, 마치 자신들의 당연한 권리이며 '천복'인 양 착각하고 있지나 않을는지.

상화·빙허·육사의 종신(終身) 시점

동트기 직전의 어둠이 짙듯, 우리의 이름난 항일 문인들이 광복을 목전에 두고 일제의 엄혹한 압제에 희생이 되어 잇달아 순절했다. 해방 두 해 전인 1943년 4월 25일 시인 이상화(李尙火, 1901~1943), 소설가 현진건(玄鎭健, 1900~1943)이 각각 42세와 43세를 일기로 공교롭게도 같은 날에 병사했고, 12월 8일에는 한글학자 이윤제(李允帝, 1888~1943)가 함흥형무소에서 옥사했다. 1944년 1월 16일에는 시인 이육사(李陸史, 1904~1944)가 갓 마흔 살에 북경 감옥에서 옥사하고, 6월 29일에는 승려시인 한용운(韓龍雲, 1879~1944)이 영양실조로 열반에 든다. 해방의 턱 밑인 45년 2월 26일에는 후쿠오카 형무소에 사상범 혐의로 갇혀 있던 시인 윤동주(尹東柱, 1917~1945)가 일제의 야만적인 약물 실험에 희생되어 숨진다.

이들 중 이상화와 현진건은 대구 태생이고, 이윤제는 경남 김해 출신이나 대구 계성학교에서 학창 시절을 보냈다. 또 이육사도 경북 안동에서 태어났으나 기자 시절의 청년기를 대구에서 보냈고, 대구에서 항일과 옥고를 치러, 대구 사람이나 진배 없었다. 그러므로 43년, 44년 두 해 사이에 한뫼 이윤제를 제외하고도 상화, 빙허(憑虛, 현진건), 육사 등 대구의 세 문인들이 일제의 직간접적인 탄압에 희생되어

학생 시절의 이상화

불혹의 나이에 불귀의 객이 되고만 셈이었다. 이로 인해 넓게는 우리의 항일 문학사에, 좁게는 대구의 문학 인물사에서 한순간 항일정신의 맥이 꺾인 것처럼 비쳤다.

　상화의 병은 위암이었고, 빙허의 사인은 폐와 장의 결핵이었다. 경위야 어쨌든 두 사람 다 대구의 계산동과 서울의 제기동 자신의 집 안방에서 가족들의 애도 속에 임종을 했으니, 이국 땅 북경의 감옥에서 외롭게 숨진 육사에 비해선 와석종신(臥席終身) 했다 할지 모른다. 그러나 실상은 두 사람 역시 일제하의 '미치고 환장할' 것 같은 압제에 저항하며 자학하다 속 골병이 들어 요절한 것과 다름없었다. '술 권하는 사회'(빙허의 소설)에 견디다 못해 시름시름 죽어가던 육신이, 4월 25일에 이르러 마침내 종언을 고해, 둘이서 마치 '이중의 사망'(상화의 시)을 약속이나 한 듯 같은 날에 가버렸던 것이다.

문학예술인들로선 짧은 생애보다 긴 예술이 보람일 터라, 고종명(考終命)을 못 했다고 해서 애석해야 할 필요는 없겠다. 비록 이승의 삶은 불우했다 쳐도, 운명(殞命)의 타이밍만은 오묘했다고 하면 고인들을 섭섭하게 하는 해석일까? 2~3년 더 생존해 해방을 맞았다고 치자. 감격도 잠시, 동강 난 나라와 상잔의 겨레를 보며 통절해하기 얼마였을까. 세 사람의 작품 성향이나 교우관계로 보아 정지용(鄭芝溶, 1902~1950)이나 김기림(金起林, 1908~?), 이태준(李泰俊, 1904~?)처럼 문학가동맹에 들었다가 온갖 속앓이 끝에 어영부영 월북했을 개연성이 지극히 높다. 특히 육사는 아우인 평론가 이원조(李源朝, 1909~1955)와 정치적 행보를 같이했을 공산이 누구보다 크다.

그랬더라면 이들의 문학적 위상은 반세기 동안 남쪽에서 매몰되었기 십상이다. 또 월북했다 쳐도 김남천(金南天, 1911~1953)이나 지용, 상허(常虛, 이태준), 여천(黎泉, 이원조)처럼 목숨은커녕 북한 문학사에서마저 깡그리 지워지고 말았을 것이다. 상화와 빙허는 지금 북에서도 지극히 추앙받는 인물로 여겨지고 있다. 남에서 숭앙받는 이순신이나 정다산이 북에서도 숭앙받는 것처럼 두 인물은 남과 북 양쪽에서 기림받고 있는 현실이다. 비록 저항정신은 높았을망정 이들이 광복 후 남쪽에서 생존했더라면 북의 문학사는 언급조차 안 했을 것이 분명하다.

미제 스파이로 몰려 옥사한 이원조의 형이란 한 가지 이유 때문인지 육사의 업적은 한 줄도 쓰지 않는 북한의 문학사가 이를 반증한다. 자연인 이상화, 현진건, 이원록(육사)의 요절은 안타깝

지만 문학인 상화, 빙허, 육사로선 '박수 칠 때 떠난 것'처럼 되어
버린 종신(終身)의 시점이야말로 험한 꼴을 보기 전에 타계한 그
들을 위해서도 어쩌면 다행이었다 할까.

일제하 대구의 번화가

 일제하 대구의 상권은 몇몇 외형이 영세한 분야를 제외하곤 거의 일인들의 수중에 있었다. 몇몇 분야라면 대구 신정(新町, 대신동)에 위치한 '큰 장'(서문시장)의 건어물, 유기, 옹기, 사기 외에 광목, 모시 등 재래직포 따위였다. 또 남성정 약전골목의 한약재 상권과, 전래의 탁주(막걸리) 양조업, 정미업과 중소규모 양곡 매매업, 걸음마 단계의 소규모 직조업, 그리고 고된 노동력을 원천으로 한 채소 과일의 생산과 판매, 정육업 등에서 일인들과 힘겨운 경쟁을 하거나 겨우 따돌리고 있었을 뿐이다.

 신분과 직업 차별의 대표적 사례였던 정육 판매업은 30년대까지만 해도 백정(白丁)들의 전문 업종이었다. 이 무렵 경상도의 푸줏간에선 어른 아이 없이 "고기 주게" 하며 반말로 주문하는 악습이 예사였다. 도서출판 현암사의 고 조상원(趙相元, 1913~2000) 회장은 "사람 차별하면 못쓴다"라고 가르친 부친의 영향으로, 푸줏간 심부름 때면 꼭 "소고기 한 근 주이소" 했더니, 그의 경어에 감격한 백정 주인이 소고기를 덤으로 듬뿍 주더라는 일화를 남긴 바 있다.

의식주와 관련된 1 · 2차 산업뿐만 아니라, 이들의 가공, 유통, 판매, 운수 그리고 건설, 서비스 사업 중 규모가 큰 사업은 40년도 말 현재 250여만 명인 경북 인구의 겨우 2%인 일인들의 독무대이다시피 되어 있었다. 자본력과 정보력의 우위 탓도 있었지만 상업을 천시했던 우리네보다 실리를 우선한 그들의 몸에 밴 상인 정신의 결과이기도 했다.

일제 때 대구 제일의 번화가는 지금의 북성로인 모토마치(元町)와, 지금의 서문로인 혼마치(本町)였다. 모토마치는 대구역이 개설되면서 대구 성내에서 제일 가까운 역세권으로 발전했다. 일인들은 본시 북향 집을 선호한 까닭에 같은 모토마치라도 북향쪽 상가가 더 목이 좋은 편에 속했다. 미나카이 백화점과 야나기야(柳屋) 무역상회, 해방 무렵의 천우당(天佑堂)백화점, 일광(日光)상회 잡화부도 모두 북향 점포였다. 이들 북향 상가는 식당과 주점 등으로 밤거리가 요란한 지금의 향촌동인 무라카미초(村上町)와 잇닿아 있어, 남향 상가보다는 한결 땅값이 비쌌다.

혼마치에는 대구경찰서와 경상합동은행(구 조흥은행 대구지점), 한성은행 대구지점(구 조흥은행 대구서지점), 대구서부 금융조합(구 영남일보 사옥), 그리고 일본인 학교인 아사히(旭)소학교(구 종로초등학교)가 촘촘히 들어서 있었다. 그뿐만 아니라 혼마치 끝과 닿아 있는 우에마치(上町, 포정동)에는 조선식산은행 대구지점(산업은행 대구지점)과 대구우체국이 버티고 있었다. 이들과 지척의 거리에는 대구 관가의 중심이라 할 경상북도 도청(경상감영공원)이 있었

대구의 중심 상업거리 모토마치(현 북성로) 입구(1920~1930년대)
이 길로 죽 가면 삼성상회가 우측에 보였다.

고, 그 입구에는 대구에서 가장 서슬 푸른 헌병대(구 경북병무청)가
있었다.

여기서 동으로 200여 미터 이어진 거리엔 조선은행 대구지점
(구 한국은행 대구지점)이 있었고, 혼마치의 서쪽인 이치바초(市場町,
동산동) 삼거리엔 경일은행(구 상은대구서지점)이 자리 잡았다. 조
금 서진하면 전국적인 명성을 지닌 서문시장이었다. 결국 대구
의 일인들은 관공서와 은행, 학교와 시장이 이어져, 행인과 돈거
래가 붐비는 노른자위 터를 차지해 조선인을 압도하는 터줏대감
노릇을 하고 있었던 셈이다.

대구역 광장에서 남으로 곧게 뻗어나간, 대구에서 제일 넓은
12간(약 22미터) 도로인 중앙통은 대구의 중심도로였다. 그러나 일
제 때나 해방 직후에도 한동안 자동차보다 우마차, 손수레의 통
행량이 더 많았다. 경북금융조합연합회(구 농협도지부)와 달성금융

조합(농협달성군조합)등 금융기관도 있었지만 여관과 식당, 잡화점 등이 많은 비교적 한적한 거리였다.

대구의 두 친일 문인

상화나 빙허, 육사처럼 온몸으로 자유·독립의 종을 치려 애쓰다 요절한 항일 문인들과는 대조적으로 일신의 안녕과 출세를 위해 친일의 길을 걸으며 천수를 누린 문인들도 있었다. 대구의 대표적인 친일 문사는 장혁주(張赫宙, 1905~1998)와 김문집(金文輯, 1907~?)이었다.

대구희도보통학교 교사 때인 1932년, 일문소설 『아귀도(餓鬼道)』가 일본 잡지에 입선함으로써 등단한 장혁주는 시종일관 친일한 데 그치지 않고, 끝내 일본으로 귀화한 '신념파' 친일 작가였다. 1905년 대구 태생으로, 본명이 장은중(張恩重)인 그는 이인기(李寅基) 전 영남대 총장, 오용진(吳龍鎭) 전 경북대 교수, 이충영(李忠榮) 전 변호사(이수성 전 총리 부친, 납북) 들과 함께 대구고보의 8회 졸업생이다. 동급생들이 마지못해 일제의 체제에 순응할 수밖에 없었던 것과는 반대로, 등단 이후 장혁주는 '일본정신'인 이른바 야마토 다마시(大和魂)를 가슴과 행동으로 받아들인 사람이다.

그의 대표작이라 할 『권이란 사내(権という男)』라는 일문소설이나, 신문 연재소설인 「삼곡선(三曲線)」, 지원병 찬양 소설인 「새로운 출발」 그 어디에도 황민화 사상의 고양 외엔 민족의 아픔을 그린 내용은 찾아볼 수 없었다. "…창씨개명을 하거나 협화회(協和會)의 임원이 되거나 하는, 그의 자기황민화(自己皇民化) 노력은, 만약에 옆에서 주의해서 바라보는 자가 있다면 정말이지 감격스럽게 여길 정도로 진지했다." 소설 「새로운 출발」의 이 한 구절이야말로 장혁주 자신에게 꼭 해당되는 말이었다. 그가 노구치 미노루(野口稔) 혹은 노구치 가구추(野口赫宙)로 자청해 개명한 것도 같은 맥락에서였다.

장혁주보다 두 살 아래로, 대구희도보통학교를 나와 계성학교를 다니다, 일본 와세다중, 마츠야마고교를 거쳐 도쿄제국대학을 중퇴한 것으로 알려진 김문집은 등단(1935) 초기만 해도 '평단의 혜성'쯤으로 주목을 받았다. 특히 "조선문학은 조선적이어야 한다"는 기조로 전개한 「전통과 기교의 문제」, 「문학조선의 새 인식」 등 그의 몇몇 문학비평은 민족주의 정신이 메말라 가던 그 무렵의 문단에 잠시나마 신선하고 담대한 시도처럼 비치기도 했다.

그러나 재기발랄한 그의 비평은 차츰 인물비평, 문단비평, 가십형 비평으로 흐르다가, 막판에는 여류 문인이나 유명 작가의 사생활과 사담류(私談類), 잡문류 비평으로 변질했다. 당연히 문단 교우들 사이에서 기피 인물이 될 수밖에 없었다. 때맞춰 코미

디 같은 작명 소동 끝에, 오에 류노스케(大江龍之介)로 창씨개명한 그는 친일문학의 이론 전개에 열을 올려, 스스로 급속히 문학 본류에서 멀어지기를 자처했다. 『조선민족의 발전적 해소론 서설』이라는 한 글에서 그는 이렇게 궤변을 늘어놓았다. "조선 사람이 황국신민이 된다는 것은 '게다'를 끌고 '다꾸앙'을 먹고들 하는 것이 아니고, 고무신에 깍두기도 매우 좋으니 먼저 정신적인 내장을 소제하는 데 있다. 재래의 조선 사람이 가졌던 일체의 불미불선(不美不善), 취기(臭氣)분분한 그 썩은 내장물을 위로는 토해내고 아래로는 관장 배설하여 속을 깨끗이 해야 한다."

작가와 비평가는 원래 껄끄러운 사이지만 동향인이면서도 두 사람은 친한 터수가 못 되었다. 그러나 해방을 전후하여 일본으로 피신하는 데는 죽이 맞았다. 김문집은 한동안 『후쿠오카 일일 신문』의 촉탁 기자 생활을 하다가 언제부터인가 세상의 시선으로부터 자취를 감추었다. 장혁주는 종전 후의 일본 문단에서 그런대로 잘 버티었다. 미수를 3년 앞둔 88올림픽 때였던가, 노구치 미노루란 일본 이름으로 축하의 말을 하는 장면이 한국 TV에 나왔다. 차마 한국어로 말하기도, 그렇다고 일어로 말하기도 쑥스러웠던지 서툰 영어로 말하고 있었다. 변치 않은 옛날의 그 천연두 자국 가득한, 영락없는 한국인의 얼굴로써였다.

제3부

■

해방공간의 혼란과 좌절

해방 직후의 자유 만끽 시절

　　타력에 의해서 왔든, '도둑고양이처럼 살그머니' 왔든, 8·15해방은 3천만 겨레로선 유사 이래의 최대 감격이었다. 만세만 불러도 배가 부른 사람들이었지만 소를 잡고 술을 빚어 한 층 더 광복의 기쁨을 누리기에 바빴다. 그동안 엄격히 단속되던 밀도살과 밀주는 일제의 사슬에서 풀려난 조선인들의 당연한 향연 식품이자 자연스러운 권리 행사였다. 대구 주변에선 한동안 푸줏간의 소고깃값이 해방 전의 6분의 1 값이었다. 막걸리 한 사발쯤은 어딜 가나 얻어 마시기 어렵지 않았다.

　때마침 보리쌀(하곡)이 수확된 지 얼마 안 된 데다가, 해방으로 미처 공출을 다 당하지 않은 터라, 농촌의 쌀독에도 여유가 있었다. 또 군수 창고에 비축되었다 흘러나온 각종 군수품, 광목, 비누, 설탕 등으로 물가는 전반적으로 폭락해, 주부들의 장바구니 사정을 풍요롭게 해주었다. 떠나는 일인들이 앞다투어 파는 바람에 집값이며 전답 값도 대폭락했다. 나중엔 값을 쳐주기는커녕 약삭빠르고 간 큰 사람들이 이른바 적산(敵産) 집에 문패를 멋대로 달고 제 집 삼아 살아도 당장엔 말리는 사람이 없는 세상이었다.

의식주만 풍성해진 것은 아니었다. 사람들의 어깨가 펴진 것이 우선 커다란 변화였다. 사람들의 얼굴엔 생기가 돌았고, 여유로워져갔다. 황국신민으로 사느라 주눅이 들었던 노인들이 옛날의 그 팔자걸음으로 대로를 활보해도 흉보는 사람이 없었다. 더러 일인들의 집 유리창을 깨거나 삿대질을 해댔다는 소문이 없진 않았지만 대구 사람들은 큰 소동 없이 그들을 보내주었다. 서로 얼굴을 맞대고 산 정리 때문만이 아니라, 패자가 되어 쫓겨가는 그들의 뒤통수를 칠 만큼 옹졸하지 않았던 까닭이다. 달성공원의 벚꽃나무가 화풀이 대상으로 베어지는 일도 드물었고, 그곳의 신사(神社)를 20년 넘게 폭파하지 않았던 곡절의 하나도 그런 연유에서였다.

감옥에서 풀려난 좌경적인 항일투사들은 맨 먼저 약전골목의 제일예배당 건너편 복양당(復陽堂) 한약방에 모였다. 이들은 기미만세운동 직후 의열단(義烈團) 사건으로 옥고를 치른, 이 집 주인인 월강(月岡) 김관제(金觀濟)를 중심으로 '경북건국준비위원회'란 간판을 걸고, 따르는 청년들을 앞세워 '치안대'를 조직했다. 과도기의 치안 공백을 틈타 날뛰는 좀도둑과 파렴치범들을 잡는다는 명분이었다. 그러자 달성공원 앞 조양회관(朝陽會館)에서도 동암(東庵) 서상일(徐相日)을 주축으로 우파 인사들이 별도의 '경북치

해방의 감격을 표현하는 시위 군중

안유지회'를 결성하고, 어떤 형태로 건국에 매진할지를 논의하기 바빴다.

편 가르기는 이때부터 싹을 보였으나, 중앙 정치판과는 달리 마주치면 서로 형님, 아우 할 고향 선후배들 사이라, 이맘때만 해도 서로 적대시하는 기색은 없었다. 주로 친한 터수끼리 좌우로 나눠 앉았을 뿐, 어차피 같은 열차를 타고 '건국'이란 목적지 정거장까지 가야 할, 동반 승객이란 생각에는 다름이 없었다. 그러므로 누구나 내키는 대로 조직에 들 수도, 안 들 수도 있는, 순진무구한 정치 자유 시절이자, 이념의 혼재 또는 초이념의 시절로 불릴 만했다. '해방', '자유', '건국'이란 세 단어만 들이대면 어지간한 오해나 갈등은 녹아졌다.

해방 직후 대구의 미군 환영행사

대구 사람들이 사상 유례없는 사람다운 자유를 누리면서, 잠시나마 밥술과 주육을 배불리 먹고, 희망 또한 한껏 부풀던 이런 시절은 10월 이전까지였다. 정확히 미국 육군 존스 대령이 미24군의 선견대 100명을 이끌고 대구에 진주해 오던 9월 24일 이전까지의 짧은 기간이었다. 뒤미처 닥칠 정치적 혼란과 무질서, 극도의 식량난과 물가고로, 해방에 대해 진한 배신감에 사로잡힐 줄은 누구도 상상도 못했던, 40여 일간의 꿈같이 달콤했던 시절의 일이었다.

해방 민심 선점한 좌익 세력

　　미군이 대구에 진주하기 직전인 1945년 9월 중순, 대구의 하늘엔 미군기로부터 전단(비라)이 뿌려졌다. 조선어와 일어, 영어로 된 전단에는 다음과 같은 내용이 적혀 있었다. "38선 이남 주민은 미 점령군의 지시에 복종할 의무가 있다." "미군이 진주해서 일본군을 무장 해제할 때까지는 현 상태대로 일본 군경이 치안을 담당한다."

　　'미 점령군에 복종할 의무' 운운은 그렇다 쳐도, 일본 군경이 치안을 담당하다니, 아무리 한시적이라지만 해방된 나라에 있을 법한 일인가, 많은 사람들이 놀라워하고 분개했다. 반대로 그때까지 무장을 해제하지 않은 채 풀이 죽어 있던 일본 군경들은 이를 계기로 눈에 띄게 기가 살아나는 모습이었다. 타력에 의해 얻어진 해방의 환상이 여지없이 깨어지는 순간이었다.

　　이에 자극받아 '치안대'에 소속돼오던 대구의 일부 좌익 청년들이 9월 27일 대구 최초의 '적색데모'를 감행하기에 이른다. 미군이 대구에서 본격적인 전을 펴기 전에 자신들의 세(勢)를 과시하려는 의도였다. 그때까지는 좌우익이 서로 은인자중하며 공존하는 입장이었다. 중앙과는 달리 대구의 좌익 지도급 인사들은 과격한 주장들을 애써 자제해오는 편이었다. 그런 터에 50여 명의 강경한 좌익 청년들이 "자극적인 행동은 삼가라"는 원로들의 타이름도 귓전으로 듣고 일을 벌였다.

이들은 서너 대의 화물트럭에 나눠 타곤, '조선인민공화국 만세!' '모든 권력은 인민에게!' 등이 적힌 현수막을 앞세우고, 〈적기가〉를 부르며 대구 시가를 누볐다. 진주한 미군은 물론, 대구의 우익과 중도 인사들을 자극하기에 충분한 시위였다. 이 일로 대구의 정가는 단번에 대결 국면으로 변모해갔다.

그렇잖아도 이보다 앞선 9월 8일에 '중앙 건국준비위원회'가 '인민공화국'을 선포하자, 경북도 내의 일부 군 단위 '건준'도 덩달아 '군인민위(郡人民委)' 간판으로 갈아 달고 있을 무렵이었다. 따라서 미군의 활동이 본격화된 10월 이후부터 미군과 인민위 간에는 세 겨루기가 피할 수 없게 되었다. 10월 16일 대구 공회당에서 대구시인민위원회가 결성되고, 이틀 뒤에 경상북도인민위원회가 결성되었지만 인민위는 어느새 허울 좋은 간판에 불과했다. 무력을 지닌 미군정이 유사 권력 조직인 인민위를 원천적으로 부정했기 때문이다.

그 여파로 대구의 좌익인사들은 여운형(呂運亨, 1886~1947)이 주도한 인민당이나 박헌영(朴憲永, 1900~1955) 휘하의 조선공산당에 들어가, 합법적인 정당인의 자격으로 활동할 수밖에 없었다. 이들의 상당수가 일제하의 투쟁 경력이 우익에 앞서 있었다. 그런 데다 미군정의 친일 관리 중용으로 민심이 이반되자, 항일 경력들을 내세워 그 반사효과를 선점할 수 있었다. 대표적인 친일 고관이던 김대우(金大羽) 경북지사가 10월 초 도내 군수·과장급 전보 인사를 단행하면서 친일 관료들을 거의 재등용해, 도민들의 엄청난 반발을 샀던 것이 바로 그런 예였다.

게다가 좌익들의 선전 선동술은 우익이 흉내 낼 수 없을 정도로 민중들의 가려운 곳을 긁어주는 데 탁월했다. '농지의 무상몰수 무상분배' '인민의 절대평등' '무산대중의 세상' 등의 구호가 그런 것들이었다. 그러나 뒷날 얼마나 허황된 것이었던가는 소련 등 공산권 국가들의 몰락과 경제난을 통해 여실히 증명되지만, 당시의 굶주리고 순박했던 조선의 민초들에겐 그처럼 솔깃하고 달콤한 구호도 없었다. 물론 이런 구호를 퍼트리고 외친 좌익 당사자들도 온전히 거짓으로만 한 행위가 아니었다. 그들 자신들도 그런 사회를 염원했고, 반드시 실현될 것으로 믿어 의심치 않았다. 이론대로라면 충분히 가능했다. 좋게 보아 그들 또한 현실의 냉엄함을 모르는, 한낱 꿈에 취한 순진한 이상주의자들이 대부분이었지만.

기아데모 부른 식량정책

8월 한더위 속에 맞았던 해방의 열기는 초겨울 한기와 함께 전국 곳곳에서 '죽을 지경'이란 비명으로 돌변했다. 국토 분단의 고착화와 좌우의 극한 대립도 견디기 힘든 일이었지만 민초들은 무엇보다 배가 고파 죽을 지경이었다. 9월 중순 대두 한 말(18리터)에 110원이던 쌀값이 햅쌀 출하에도 11월 말 112원, 12월 말엔 150원으로 뛰면서 사태는 악화일로였다.

미곡 보유량 자체가 절대 수요에 못 미치는 판에, 해방 후 귀환 동포의 급증으로 수요가 폭발한 것이 주 원인이었다. 1945년 8월 말 현재 22만여 명과 250만여 명으로 추산되던 대구와 경북의 인구가, 1946년 6월 말 각각 26만여 명과 305만여 명으로 불어나 있었다. 대구엔 4만여 명, 경북엔 55만여 명의 '먹는 입'이 늘어난 셈이었다. 여기다가 8월 21일 현재 70억여 원이던 전국의 조선은행권 발행고가 10월 18일에는 38선 이남에서만 88억여 원에 이를 정도로 인플레의 위협이 가중되고 있었다.

쌀값이 무섭게 뛰자 미군정은 새해부터 미곡가의 자유시장제

를 없애고 최고가격제를
실시키로 했다. 쌀값을
대두 한 말에 74원(소두는
38원) 이상 못 받게끔 못
을 박은 것이었다. 아울
러 12월 하순부터 추곡수
매제를 시행하여 벼(나락)
한 가마에 175원으로 사
들였다. 이러자 생산자인
농민이 수매에 잘 응하지
않아 쌀의 출하량이 줄어
들었다. 또 최고(공정)가
격제 실시로 유통량마저

가난한 서민들의 삶

줄자, 쌀의 암거래가 기세를 떨치기 시작했다. 암거래 쌀은 소두
한 말(닷 되)에 공정 가격의 세 배가 넘는 120원에도 쉽게 구할 수
없었다.

　미군정은 한 사람 앞 네 말 닷 되의 농가 보유미 외엔, 전량을
수매에 응하지 않으면 엄벌에 처한다고 얼렀다. 그러나 일제 때
의 강제 공출 악몽이 되살아난 농민들은 그런 엄포를 놓는 미군
과 친일 관리 및 경찰에 대해 반감만 더했을 뿐 수매를 기피했다.
한 사람 앞 2홉 4작으로 정해진 도시민에 대한 배급제 역시 비축
물량의 부족과, 부패한 일부 관공리의 가로채기로 유명무실해졌
다. 이로 인해 1946년 1월 중순, 소두 한 말에 160원을 주어도 암

거래 쌀은 아무나 구할 수 없게 되어, 학교 기숙사가 문을 닫았고 하숙생들이 하숙집에서 쫓겨났다. 또 결식 아동이 늘어나, 칠성 국교는 80%, 봉산국교는 70%의 학생이 도시락을 못 싸 왔고, 아침식사도 죽으로 때우는 아동이 20%를 웃돌았다.

귀환 동포들이 중심이 된 대구의 빈민, 전재민들이 견디다 못해 관청으로 몰려간 것은 당연한 귀결이었다. 수십 명의 굶주린 아녀자들은 3월 11일과 4월 1일 두 차례 양푼과 마대 자루 등을 들고 부청(시청)과 도청으로 몰려가, "배고파 죽겠소, 쌀을 주소!" 하며 전례 없는 '기아데모'를 벌이기 시작했다. 그래봤자 돌아온 것은 일시적인 입막음용 배급에 불과했다. 만주에서 귀환한 동포들 중에는 다시 만주로 되돌아가다가 38선에 막혀 오도 가도 못하는 비참한 신세가 되는 이들도 있었다. 사태는 콜레라의 만연으로 통행이 차단되면서 더욱 악화되어, 7월 1일엔 "쌀을 못 주면 길이라도 틔워라!"라는 절박한 외침의 세 번째 데모로 이어진다.

곳곳에서 강도와 절도, 쌀 도둑이 설쳤고, 굶주림은 농촌이 더 심했다. 식량 생산자로 분류되어 배급 제도에서 소외되었기 때문이다. 그 결과 경북 청송군내에만도 200여 명의 아사자가 발생했다는 섬뜩한 신문 보도가 있을 정도였다. 간신히 살아남은 사람들도 '나물 8할에 등겨 2할'인 밀기울 죽마저 떨어져, 누렇게 부은 얼굴로 드러누운 아사 직전의 모습이었다고 신문들은 전했다. 이런데도 미군정 당국자들은 "영양실조로 인한 심장마비거나 빈혈로 인한 사망일 뿐"이라고 둘러대며, 주변머리 없는 식량

정책을 호도하기 바빴다. 사람들이 그토록 목말라했던 해방은 어느새 '빛나는 광복'이 아니라, 기아와 절망의 그림자가 드리운, '컴컴한 나락'으로 떨어져가고 있었다.

최악의 재앙 콜레라 악몽

1946년 병술(丙戌)년은 기아, 병마, 시위, 폭동 등으로 대구 현대사에서 유난히 액화(厄禍)가 많은 해였다. 이해 여름 전국에 걸쳐 발생한 법정전염병인 콜레라가 유독 대구에서 전국 최고의 사망률을 낸 것도 그 한 예였다. 발병자 대비 전국의 사망률이 51%였고, 경북 도내의 사망률이 58%(4,316명)였던 반면, 대구는 2,578명의 발병자 중 무려 66%(1,718명)의 사망률을 기록했기 때문이다.

5월 7일 중국에서 부산으로 귀국한 귀환 동포들에 의해 번지기 시작한 콜레라는 5월 28일 경북 청도군에서 도내 첫 환자를 발생시켰다. 6월 12일 대구에서 4명의 사망자가 나오면서 콜레라 공포증은 극도로 확산되었다. 수인성(水因性) 전염병이었으므로 경북도 방역당국은 냉면, 빙수, 빙과, 노점 음식 등의 매매 금지, 음식점의 생차, 생어육 제공 금지 등의 도령(道令)을 긴급히 발령했다.

그러나 6월 24일 100명을 넘어선 대구의 사망자 수가 28일에 250명, 7월 3일엔 391명으로 급증했다. 발병자 중 사망자 비율도 대구가 전국에서 가장 높았다. 대구의 식

콜레라 방역을 위한 소독

량난이 전국에서 가장 심했고, 이에 따른 영양실조로 병에 대한 저항력이 약한 데다, 내륙 도시 대구 특유의 '가마솥 더위'로 찬 음료를 들이켤 기회가 많았던 까닭이다.

요즘 같으면 일과성 유행병으로 그칠 병이었다. 그러나 당시엔 방역 능력이 미흡했던 것 못지않게, 병마에 대한 사람들의 무지와 인식 부족이 큰 화근이었다. 아울러 콜레라에 대한 지나친 공포심이 문제였다. 환자가 발생하면 전염을 막기 위해 통행을 차단하고 격리 수용시켰는데, 가족들은 이 격리 조치를 곧 '사망 처리'의 한 과정으로 오인했다. 따라서 환자가 있어도 당국에 신고하기는커녕 쉬쉬했고, 조사를 나오면 벽장에 숨기는 판국이었다. 이 때문에 병을 키웠고, 환자 가족도 전염되기 일쑤였다. 또 감기 몸살, 식중독 등 가벼운 병자나, 가난으로 끼니를 굶고 늘어진 사람조차 콜레라 환자로 취급해 격리 수용하는 바람에, 격분한 가족들은 환자를 신고하길 더욱 꺼리는 풍조였다. 이런 일 등으로 병마가 창궐한 막바지에는 트럭에 실려 오는 사체들로 화장터가 초만원을 이뤄, 공동묘지에 장작을 쌓고 그대로 화장해버리는 끔찍한 일도 벌어졌다.

여름 한철 장사인 냉식음료 장사는 아예 결딴이 났고, 가난뱅이들이 별 밑천 없이 벌어먹던 노점들도 펼 수 없게 되었다. 여름밤의 명물이던 중앙통의 야시(夜市)도 중지되었다. 사람이 들끓는 곳일수록 콜레라균이 번질 가능성이 높아서였다. 이 때문에 벌어먹고 살 길이 막막해진 노점상들과 날품팔이들이 사정이 좀 덜한 다른 고장으로 떠나려 해도 여행 허가증을 구하기가 쉽지 않았다.

여행 허가증은 긴급한 생필품을 구입·운반하려는 경우나, 가족의 사망·출생·질병 등으로 인한 불가피한 용무에 한해 발급되었다. 이것도 꼭 정(町, 동) 회장의 허가를 받은 후, 다시 콜레라 비보균자라는 의사의 확인이 있어야만 가능했다. 먼 거리 여행자는 이 밖에도 콜레라 예방접종 증명서와 검변증(檢便證)이 있어야만 했다. 까다롭기 그지없는 이런 과정을 다 밟기로 결심한 사람이라도 어렵기는 마찬가지였다. 대구 방역당국의 하루 검변능력이 500명을 넘지 못한 반면 떠나려는 사람은 그 몇 배가 되었기 때문이다.

교통 차단은 물자 수급난을 불러, 생필품 값을 폭등시켰다. 이래저래 살길이 막힌 대구의 바닥 인생들은 "굶어 죽든, 병들어 죽든, 죽기는 매일반이다. 쌀 배급을 주든지, 아니면 어디 가서든 마음대로 벌어먹게 해다오!" 하며 들고일어나지 않을 수 없었다. 주리고 병든 민초들로선 엎친 데 덮친, 지독히도 덥고 암울했던, 해방 이듬해 여름의 악몽이었다.

피폐한 시대의 세태 풍자

1946년 하반기의 대구에는 학원과 노동현장에서도 크고 작은 맹휴와 파업이 속출했다. 한더위를 고비로 이런 갈등과 불안 요소는 더욱 고조되지만 '뜨거운 감자'는 사실 이해 늦봄부터 이미 미군정 치하의 사회 저변 곳곳에서 잉태되고 있었다.

대구의 사회가 이 무렵 얼마나 피폐하고 처참했느냐를 보여주는 단적인 예로, 대구의 주간 신문『민론(民論)』에「미군에 부끄럽다. 달성공원 자살사건」이란 제하의 기사가 실렸다. 일본에서 귀환한 연고 없는 한 50대 남자가 생활고를 못 이겨 공원의 소나무에 목을 매 자살한 사건을 다룬 기사였다.

생활고로 인한 자살 사건은 이 무렵 흔해빠진 뉴스였다. 문제는 이 자살한 사체를 처리하는 과정에 있었다. 5월 21일 아침 6시쯤, 순찰 경관이 목매어 자살한 현장을 발견하고 본서에 보고하자, 검사와 서원 3명이 나와 검시한 후, 대구부(市) 당국자에게 사체 처리를 통고했다고 한다. 그러나 사건 발견 10시간이 지난 오후 4시까지 나뭇가지에 목이 매여 있는 그대로 사체를 방치함으로써, 사회안전망이 얼마나 엉망이었나를 방증했다.

사체가 오랫동안 매달려 있자 인근의 개들이 몰려와 짖어대고, 파리 떼가 달라붙는 처참한 광경을 보인 것도 문제였다. 게다가 마침 공원을 산책하던 미군이 이 기이하고 엽기적인 광경을 카메라에 담기 시작한 것이 더 문제였다. 촬영 모습을 본 군중의 반응은 두 갈래였다. "이것이 무슨 추태인가, 미국인들이 나중 사진을 보면 우리 민족을 어떻게 평할까를 생각하면 억장이 무너진다"고 울분을 토하는 한 무리가 있었다.

반면에 "차라리 잘 되었다. 저런 광경을 미국인들이 더 많이 봐야 원조를 더 해주든지 쌀 배급을 더 해줄 것 아닌가" 하는 역

해방 직후 대구역 풍경

반응도 나왔다. 하긴 대구 사회의 하층민뿐만 아니었다. 이 무렵 서울 경성중학교 교사였고, 촉망받던 소설가였던 황순원(黃順元, 1915~2000)도 "월급 1830원으론 일곱 식구가 쌀밥을 먹어본 지는 오래고, 밀기울조차 먹기 힘들다"고 신문에서 하소연하고 있었으니(『독립신문』 1947년 2월 1일) 지방도시 무직자의 참상은 말할 나위 없었다. 좌익은 이런 암담한 현실을 기가 막히게 풍자하여 심신이 병든 민중들의 공감을 샀다.

- 하루 종일 정거장(장시간 연발 연착하는 철도 사정)
- 흐지부지 우편국(분실 배달 지연에 무책임한 우편 행정)
- 먹자판의 재판소(유전무죄, 무전유죄 현상이 극심했던 법조)
- 깜깜절벽 전기회사(정전이 보통인 남한의 전력 사정)
- 종이쪽지 세무서(비리 만발 속의 고지서 남발)
- 가져나라 면사무소(수매와 부역 속의 오라 가라는 면 행정)
- 텅텅 볐다 배급소(허울뿐인 쌀 배급 실태)
- 고드름 장작 때고 냉수 먹세(이래저래 멍든 민심 기대도 버리자는 후렴)

이 같은 현상은 수십 년 뒤까지 크게 개선되지 않은 남한의 고질적인 사회병리였다. 우익은 좌익의 이런 따끔한 풍자에 뒤처졌다. 고작 내놓은 것이 〈38 아리랑〉 정도였다.

(반복) 아리랑 아리랑 아라리요,
아리랑 고개는 38도 고개

(1절) 공산(共産)은 빌 공(空) 자 공산인가
쓸만한 세간살이 다 가져가네.

(2절) 전문대학을 가르쳐 놓으니
아버지 보고서 동무라 하네.

(3절) 농민 노동자를 살린다더니
목매기송아지 다 가져가네.

(4절) 자유 독립을 시킨다더니
신탁 지지가 웬말인가.

(5절) 38도 해결이 안 된다면
기미년 혁명이 또 오리라.

풍자 싸움에서야 누가 이기든, 허기진 민초들로선 당장의 한 끼 밥이 눈앞에 절실했다.

대구 10 · 1사건의 해묵은 논점들

    1946년 10월에 발생한 '대구 10 · 1사건'은 75년이 지난 지금까지도 몇 가지 해묵은 논점들을 떨쳐버리지 못하고 있다. 첫째, 사건의 성격이 폭동이냐, 항쟁이냐는 문제이다. 우파와 관변(官邊)은 주저 없이 폭동으로 규정지어왔다. 반면에 좌파와 일부 수정주의자들은 항쟁(인민항쟁)이란 변함없는 주장이었다. 이런 대척점을 피하기 위해 일부에선 '폭동' 대신 '소요(騷擾)'로, '항쟁' 대신 '봉기(烽起)'로 표현하기도 하지만 여기에도 논란의 요소는 많다. 그 결과, 폭동의 요소와 항쟁의 요소가 때와 곳에 따라 혼재되어 있어, 한마디로 단정 짓기는 어렵다는 견해도 있다. 따라서 대구 10 · 1사건이란 가치 중립적인 표현도 쓰곤 하지만 이 역시 좌우의 불만 섞인 시각에서 자유로울 수 없다.

    두 번째 논점은 '사건'이 과연 공산주의자들의 지령에 의해 발생했느냐, 지령이 있었다면 어느 정도였고, 중앙당이 개입했느냐는 문제이다. 이 해답에 따라 폭동인지 항쟁인지가 가늠될 듯하다. 여기에 대해선 미군정하 법원이 내린 '사건 주모자'에 대한 판결의 결과가 참고될 만하다.

　미군정은 사건 직후 대구인민당 간부 최문식(崔文植)과, 대구 조선공산당의 간부인 손기채(孫基採), 김일식(金一植), 박일환(朴日煥) 등을 배후 조종자로 구속했다. 그러나 법정 공방 끝에 박일환은 무죄, 손기채와 김일식은 집행유예, 최문식만이 징역 3년의 판결을 받았다. 또 9월 총파업의 대구 주동자로 지목됐던 대구노동자평의회 위원장 윤장혁(尹章赫)만 미 군사법정에서 5년 형을 선고받았을 뿐, 함께 구속되었던 이선장(李善長), 배승환(裵昇煥), 이목(李穆), 마영(馬英) 등, 대구의 좌익 유력인사 대부분이 무죄로 풀려났다. 다만 최무학(崔武學) 등 학생 대표들에게 중형을 선고한 것으로 보아, 공산당의 조직적인 지령이라기보다 일부 대구 학생 조직과 노동 조직, 소수 좌익 강경파들의 충동적인 부추김에 의해 발생한 사건이었음을 시사했다.

　셋째의 논점은 당시 일선 치안 책임자였던 이성옥(李成玉) 대구경찰서장이 사건 수습에 확고한 의지를 지녔더라면 작은 희생만으로 초동 단계에서 진압할 수 있는 상황이었는데 어째서 쉽게 손을 들고 말았느냐는 점이다. 아마도 이 서장 자신과, 그 윗선인 권영석(權寧錫) 5관구경찰부장의 친일 전력에서 비롯된 열등감 때문에 무기력하게도 일부 폭력 시위대들에게 무기고를 넘겨줘 사태를 키운 것이 아니었느냐는 의문점이다. 무기를 손에 넣는 순간 양순했던 시위대의 일부까지 덩달아 '폭도'로 돌변했던 사실이 방증한다. 미군정의 무분별한 친일파 등용 정책은 결과적으로 조선 민중을 위해서나 미 군정 자신을 위해서도 패착(敗着)이었던 셈이다.

군중이 집결해 시위를 하다 점령하게 되는 대구경찰서

사건의 발생 원인에 대해서는 안 동 출신 독립투사 유림(柳林) 당수가 이끌던 독립노동당의 다음과 같은 견해가 비교적 중도적인 것으로 평가받아왔다. ① 악질 경관, 악질 모리배의 횡행에 대한 반감. ② 양곡 수집과 처분에 대한 반감과 회의심. ③ 비애국적 공산주의자의 모략 선동. ④ 독립 지연에 대한 민중 반발심의 발작.

이 중 특히 '비애국적 공산주의자의 모략 선동'이란 뼈 있는 지적은, 당시 이 사건을 '항쟁'이라고만 주장하던 조선공산당 계열 및 기타 좌파 단체들에겐 적잖은 타격이 됨직했다. 또 한민당의 고위층인 조헌영(趙憲泳)이 "일부 경찰과 하곡 수집에도 원인의 일단은 있었지만, 일부 폭력 세력들이 포함된 극렬 파괴분자들의 모략 선동이 주 원인이었다."고 내린 조사 결론도 새겨볼 만했다.

대구·경북에서만도 경찰관 60명, 민간인 54명의 사망자와 6천여 명의 피검자, 1,500여 명의 수감자를 낸 이 사건을 계기로 남조선 전역이 폭풍의 소용돌이에 휘말려들었다. 사건 이후 한

당시 폭도들이 점령해 사상자를 많이 낸 영천군청과 경찰서

때 "대구는 조선의 모스크바"란 달갑잖은 평판도 들어야만 했다.
무엇보다 이 10·1사건을 기점으로 이 땅 위에 상잔의 유혈극이
본격화되었다는 점에서 대구 지역 사상(史上) 회상하기 가장 역
겹고 고통스러운 사건이었음에 틀림없다.

재벌들의 창업 시대

해방 직후의 대구경제는 그 전도가 극히 암담했건만 한없이 척박한 토양 아래에서 역설적이게도 미래의 재벌들이 움트고 있었다. 대구에서 기업을 일으켜 재벌이 된 대표적인 인물이 삼성그룹의 고 이병철 회장이다. 46년 10월 18일자 『대구시보』에는 이런 사고(社告)가 실렸다.

본사 사령. 여상원(呂相源) 임(任) 부사장. 한석동(韓錫東) 임(任) 경리국장. 경리국장 이병철(李秉喆) 임(任) 기획국장

장인환(張仁煥, 초대 경북지사, 납북) 사장 밑에서 부사장직을 맡게 된 여상원은 뒷날 1·2·3공 시절의 정통 『대구일보』 사장과 대구상의 회장, 동신섬유 사장을 지내는 대구의 이름난 경제인이다. 한석동은 대구의 현직 변호사였다. 이 두 사람과 더불어 이병철 회장이 그의 전공 분야라 할 '경리'에서 '기획' 분야의 신문사 간부가 된 것은 여러모로 흥미롭다.

그는 이 무렵 대구에서 주로 건어물을 수출하는 삼성상회를 운영하는 한편, '월계관'이란 상표를 단 청주 전문의 조선양조 회사를 꾸려가고 있던 재력가였다. 따라서 이재만을 주목적으로 신문업에 발 들여놓았다기보다, 장 사장과 여 부사장, 그 자신 등, 대구의 아홉 유지들이 모여 만든 '을유회(乙酉會)' 회원들의 권유에 따라 투자자의 한 사람으로 참여한 셈이었다. 그러나 이때의 짧은 언론 경험이 뒷날 중앙 매스컴을 갖게 된 동기가 된 듯하다. 이듬해 5월 그는 삼성의 기반을 서울로 옮겨, 전국적인 기업으로 도약한다. 이때 가담한 부사장이 효성그룹의 창업주가 되는 조홍제(趙洪濟, 1906~1984) 회장이다.

해방 직후의 대구에서 가장 역동적인 정치 활동을 편 기업인은 뒷날 쌍용그룹의 창업주가 되는 고 김성곤(金成坤, 1913~1975) 회장이다. 해방 직전부터 칠성정에서 소규모 비누 제조업체인 삼공(三共)합자회사를 운영하며 재력을 키운 그는 해방 직후 경북 건국준비위원회의 재정부장직에 오르면서 좌익 진영과 깊이 어울렸다. 이후 그는 경북청년회 부회장, 영남체육회 이사장, 대구무술 회장 등도 맡지만 인민당 대구지부 상무위원과 '민주주의 민족전선' 대구시위원 등 좌익 정치단체의 요직도 갖는다. 이때의 행적이 걸림돌이 된 적도 있으나 3공 시절엔 한때 정·재계의 강자로 발돋움하기도 한다.

일본에서 광고 모자와 피복 제조로 한밑천을 잡았던 코오롱그룹 창업주 고 이원만(李源万, 1904~1994) 회장은 해방 직후 대구에서 우익 정당인 한민당 경북도당의 재정부장직을 맡으면서 정계에 발을 들여놓았다. 경북기업주식회사를 경영하며 고급 직물인 '뉴똥'을 생산, 톡톡히 재미를 보기도 한다. 그러나 정치활동에 몰두한 탓에 아들인 이동찬(李東燦, 1922~2014) 2대 회장이 사실상 그룹의 기틀을 다져나왔다. 나일론 제조기술을 최초로 도입해 재계의 샛별로 떠오른 50년대 말부터 재벌의 면모를 갖추었다.

연료 에너지 분야의 국내 최강자가 된 대성그룹 창업주 고 김수근(金壽根, 1916~2001) 회장은 1947년 대구 칠성정에서 종업원 3명에 대지 50평의 구멍가게식 연탄공장을 시작으로 대성산업공사를 키웠다. 당시 가정 연료는 장작이 아니면 마른 솔잎 정도였다. 이런 화목류(火木類) 연료가 장차 연탄으로 대체될 걸로 확신한 그는 오로지 연탄산업에만 몰두했다. 연탄업은 생산과 배달 과정에 탄가루를 뒤집어쓰는 막노동 사업이다. 그럼에도 긴 안목에서 사업의 잠재력과 연료 보국에의 가치를 남달리 간파한 그는 에너지 재벌이 되는 먼 훗날까지 손수 연탄을 찍어 팔던 초심에서 벗어나지 않고 한 우물을 파게 된다.

다들 그 시작은 빈약했으나 황무지에서 라일락을 꽃 피우듯 결과는 장대했다. 재벌가와 정치권력은 불가근불가원(不可近不可遠)한 것이 한국적 현실이다. 그러나 재계 랭킹에 연연하기보다 정치와는 가급적 멀리한 재벌일수록 뒤끝이 편했던 것도 사실이다.

문화계의 분열과 테러 소동

해방 정국의 좌우 대립 현상은 문화계라고 예외가 아니었다. 1945년 10월 25일에 발족한 죽순(竹筍)시인구락부[대표 이윤수(李潤守, 1914~1997, 시인)]나, 이해 12월 30일에 결성된 조선아동회[대표 이영식(李永植, 1915~1978, 목사)]가 닻을 올리던 무렵만 해도 박영종(朴泳鍾, 필명 박목월, 1915~1978), 김홍섭(金洪燮), 김진태(金鎭泰), 이원식(李元式) 등이 이념을 초월하여 어울렸다.

그러나 46년 5월 27일 "향토예술의 탐구발전을 기한다"는 기치 아래, 경북예술가협회(회장 최해종(崔海鍾), 문학부장 박목월)가 결성될 무렵은 이미 분열의 징후가 뚜렷했다. 범우익 성격의 이 단체는 사실 45년 12월 16일에 결성된 범좌익 단체인 경북문화건설연맹[약칭 경북문건. 위원장 이명석(李命錫), 부위원장 백기만(白基萬)]의 좌편향적 활동에 자극받아 결성된 대항 세력이었다. 백기만 부위원장을 중심으로 움직인 경북문건은 문학·미술·연극·영화·음악·무용동맹 외에, 대구만 유일하게 사회과학·고고사학·생활문화·에스페란토 동맹 등의 장르가 가세한 것이 특징이었다.

하지만 서울에서 조선문화단체총연맹(약칭 문련)이 새롭게 결성되자, 대구서도 그 산하조직으로 46년 6월 문련경북도연맹[위원장 이응수(李應壽), 부위원장 윤복진(尹福鎭)]으로 탈바꿈하며, 동맹 조직 역시 개편된다. 개편된 동맹은 문학·음악·연극·미술·영화·사진 동맹 외에, 보건 후생·과학·법학·과학기술 동맹 등 이색적인 동맹도 가담했다.

경북문련은 결성 한 해 뒤인 47년 7월 하순 자축 '종합예술제'를 열었는데, 이 행사가 한동안 대구 문화계의 소동거리가 되었다. 미군정의 좌익 단체 목 조르기로 이 무렵 쫓기는 신세였던 중앙 문련은 세력 만회의 방책으로 남조선 전역에 '문화공작대'를 파견하고 있었다. "인민과 호흡하는 문화, 인민과 실천하는 문화"란 구호 아래, 생활의 현장에서 예술행사를 폄으로써 민중의 지지를 더 많이 확보하려는 의도에서였다. 예술제 개최에 때맞춰 문화공작대 제4대가 공연차 대구에 내려온 것도 그런 취지였다. 모더니스트 시인인 김기림(金起林)이 표면상 대표였으나, 실질적인 대장은 연극배우 심영(沈影, 1910~1971)이었다. 심영은 당대 최고의 인기 배우였다. 여기에 향토의 전위시인인 이병철(李秉哲)과, 뒷날 인기 배우로 이름을 날리게 되는 한은진(韓銀珍, 1918~2003), 김승호(金勝鎬, 1918~1968), 이향(李鄕, 1916~) 등 호화 멤버를 비롯하여 40여 명이 참여했다.

해방 직후 대구에서 창간된 두 문예지.
왼쪽이 『아동』 창간호(1946년 4월)이고 오른쪽은 『죽순』 복간호(1976년 봄호)

　이들은 고 이상화 시인의 막냇동생이자 수렵가인 이상오(李相旿)가 당시 관리대표로 있던 키네마극장에서 7월 22일, 23일 이틀간 〈위대한 사랑〉이란 제목의 연극을 공연했다. 공연은 초만원의 성공이었다. 그러자 돌연 대구경찰서가 공연 중지 명령을 내리고, 주연배우 심영을 출두하라고 명했다. "심영에 대한 사회 여론이 나쁘고, 공연을 방해하려는 첩보가 있다"라는 이유를 내세우면서였다. 24일 오전 10시쯤 심영과 김기림, 한은진, 이병철 등이 대구경찰서에 항의 겸 출두하기 위해 만경관 앞에 이르렀을 때였다. 갑자기 괴한 대여섯 명이 나타나, "저놈 잡아라!" 하며, 심영을 쓰러뜨리고 구둣발로 짓밟는 테러 사건이 벌어졌다.

　우익 청년들로부터 미운 털이 박힌 심영은 넉 달 전에도 한밤중 서울 종로에서 괴한의 권총 저격을 받아 우측 복부에 관통상을 입은 바 있었다. 결국 이날의 테러는 그로선 두 번째의 수난이었다. 공연은 절로 연기되었다. 경북문련과 일부 언론들은 극우 단체와 경찰을 일제히 비난하고 나섰다. 경북문련의 간부들이 경찰서를 찾아가 "백주에 경찰서 80미터 앞에서 발생한 테러를 못 잡다니 이럴 수 있느냐"며 엄중 항의했으나 소용이 없었다. 이미 힘의 저울대는 절대적으로 우익에게 기울어 있었다.

공연 재개는커녕 한 여름의 '소동극'만 남긴 채 문화공작대는 울분을 삼키며 상경했다. 심영과 김기림, 이병철, 윤복진은 이 일로 더욱 남한의 정치 현실에 절망하며, 우여곡절 끝에 6 · 25를 전후로 결국 북행길에 오르고 만다.

백기만과 백기호의 시대

　　　　　해방공간에서 대구의 지도급 온건좌파 인사였
던 백기만(白基萬, 1902~1967)과 백기호(白基浩, 1903~?)는 출신 배
경과 성품이 서로 이질적인데도 유사한 사상과 이력으로 화제에
오르던 인물들이다. 백기만은 대구의 가난한 선비 집안의 둘째
아들이었음에 비해, 백기호는 경북 영천의 큰 미곡 상인의 외아
들이었다. 백기만이 불의를 보면 가차 없이 질타하는 성정인 반
면, 백기호는 내색은 않으나 끝까지 시비를 가리고 마는 성미였
다. 또 백기만이 단체를 잘 이끄는 지도자형이었다면. 백기호는
뒤에서 조직을 돕는 참모형이었다.

　두 사람의 닮은 점은 우선 같은 수원(水原) 백씨 문중이란 점
외에, 둘 다 대구고보의 2회 졸업생으로 죽마고우였고, 둘 다 정
의감이 강해 약자의 편에 즐겨 섰다는 것. 그리하여 해방 후 온
건좌파인 여운형 계열이 되어 대구의 인민당과 근로인민당 간부
를 함께한 정치 동지였다는 공통점이었다.

시 잡지『금성』을 주재하며 등단한 시인인 백기만은 1939년에 작고한 여류소설가 백신애(白信愛, 1908~1939)의 오빠이기도 한 백기호와는 정치·사회적 관심사 외에도 문학적 감수성을 공유하며 남다른 정담을 나누는 사이였다. 백기만이 한 살 위(1902년생)였지만 동지애를 넘어, 형제애와 같은 우정을 나누는 사이였다고 목격자들은 증언한다.

백기만에겐 그다운 일화가 있다. 결혼 직후 그는 사채와 세금 체납으로 궁지에 몰린 처가의 광산 일을 도와주고 있었는데 사채의 전주는 인근의 조선인 군수였다. 겨우 빚 갚을 돈을 마련한 그는 군수를 찾아가 사채와 체납 세금 중 어느 것부터 먼저 갚을지 물었다. 군수는 세금은 1년 연기해줄 테니 자신의 빚부터 먼저 갚으라 했다. 사채를 갚고 영수증을 손에 쥔 백기만은 그 자리에서 일부러 일어로 호통을 쳤다. "이놈. 비국민, 악질 고리대금업자야! 의당 세금을 먼저 받아야지, 세금 낼 돈을 너의 사채부터 제하다니 말이 되느냐?" 호통 소리를 엿들은 일인 내무과장의 상신에 의해 군수는 며칠 뒤 파면되고 말았다. 그 뒤 장인의 광산이 거금에 팔리게 되자, 결벽증의 그는 미련 없이 장인의 곁을 떠났다.

가세가 넉넉했던 백기호는 가난한 이웃들을 돕는 일을 잘하기로 소문난 사람이었다. 그와 정치를 같이 했던 유한종(柳漢鍾)은 생전에, "그 양반 옆에 가면 '뜨신 내'가 물씬 났지! 그 많던 재산도 없는 사람 돕는 일에 다 써버렸지" 하고 회고한 바 있다. 백기호는 대구 10·1사건 후 한때 배후 인물로 몰려 옥살이를 한 뒤, 50년 초 경북 보도연맹의 간사장 자리에 억지로 앉았다가 다시 잡혀갔다. 집으로 찾아온 비전향 동지들을 온정으로 맞아준 혐의였다. 재판 끝에 집행유예로 풀려난 그는 정양 겸 상경했다. 6·25 며칠 전이었다. 때마침 백기만도 서울에 은둔해 있었다. 이때의 요행수, 백기만은 동란 후의 '가창 골 참극'을 모면할 수 있었고, 백기호는 9·28 후 딸에게 이끌려 엉거주춤 월북하게 된다.

백기호는 월북 후 평양에 살았다는 풍문 이후 소식이 끊어졌다. 그의 둘째 딸 백경미는 사범대학의 교원이 되었으며, 일본에서 합류했던 맏딸 백장미는 중앙도서관 사서가 되었다고 먼 뒷날 한 탈북자가 전했다. 전쟁 후 잠시 여당에 들어가 위기를 면한 백기만은 신문사 논설위원, 경북문학가협회의 최고위원 등 본연의 자리로 돌아온다. 그러다가 4·19 직후 참의원 선거에 출마, 다시금 정치의 쓴맛을 본 뒤, 냉방에서 고구마로 끼니를 때우는 극도의 가난과 병고 속에 8년을 버티다가 반골의 삶을 마감하고 만다.

향토 시문학의 싹을 틔웠고, 향토 출신 작고 문인들의 작품집과 추모 사업을 위해서 헌신해왔음에도 정작 자신의 시 작품집을 엮기는커녕, 흔한 문화상 하나도 받지 못한 목우(牧牛) 백기만이지만 그가 멋들어지게 작사한 〈대구 시민의 노래〉만은 연면히 불리고 있다.

화가 김용준의 빗나간 선택

        대구 출신으로 6 · 25 때 북으로 간 유명 화가로
는 이쾌대(李快大, 1913~1965)와 김용준(金瑢俊, 1904~1965)이 있다.
해방공간에 활발한 좌익 미술운동을 벌였던 이쾌대는 6 · 25 때
의용군으로 갔다가 포로가 된 후 포로 교환 때 북행을 자청한 적
극적인 좌경 행동파였다. 반면에 김용준은 그 무렵 지식인들의
보편적인 성향대로 좌익 심파(동정파) 수준이었으나 서울 점령 이
후 붉은 서울에서 좌익의 조직적인 미술 활동에 휩쓸린 나머지
9 · 28 때 막다른 선택으로 북으로 간 화가였다.

        천석꾼 집안의 둘째 아들이었던 이쾌대와는 달리, 1904년생
으로 가난한 농사꾼의 장남이었던 김용준은 대구의 해성학교를
졸업하고서도 진학할 형편이 못 되었다. 미술에 재능을 보였던
그는 2년 뒤 친지의 도움으로 간신히 서울 중앙중학에 진학하면
서 화가의 꿈을 펴갈 수 있게 된다. 1921년 중학을 마치고 도일
한 그는 도쿄미술학교 서양화과에 입학, 고학 끝에 1928년 졸업

한다. 졸업과 동시에 모교인 중앙중학의 미술 교사가 되면서 안
정된 화가의 길을 걷는 한편 수필가와 미술사가로서의 또 다른
숨은 재능을 발휘하기 시작한다.

김용준은 아호가 많았다. 선부(善夫), 금려(黔驪), 반야초당주
(半夜草堂主), 근원(近園), 벽루(碧樓), 우산(牛山), 매정(梅丁) 등 일
곱 개나 되었다. 이 중 조선조의 대화가 단원(檀園) 김홍도(金弘
道, 1745~1806)를 사숙하며 닮아보고 싶다는 뜻에서 지은 '근원'을
즐겨 사용했다. 일제의 조선미술전람회에 반감을 가졌던 그는
1938년 이후 서양화보다 동양화에 몰두했으며, 해방 후 단원 관
련 논문을 수차례 발표했을 정도로 단원에 매료되어 있었다. 이
런 연구결과는 뒷날 북한에서 『단원 김홍도』란 저서로 결실을 본
것으로 알려진다.

해방 후 문화계가 좌우로 갈려 요동칠 때도 김용준은 비교적
초연한 위치에 있었다. 1946년 2월 조선미술가동맹이 조직되
고, 이어 조직된 조선조형예술동맹과 합쳐 조선미술동맹으로 개
편되었으나 그의 이름은 겉으로 나타나지 않았다. 이 무렵 동국
대학교 미술 교수였던 그는 고향의 후배 화가인 이인성(李仁星,
1912~1950)과 이쾌대, 친구인 길진섭(吉鎭燮, 1907~ ?)이 '동맹'의
고위 간부로 활약할 때도 무심한 자세였다. 그만큼 그는 기질적
으로 자유주의자였다.

수려한 문장과 지적 해학으로 가득 찬 그의 수필집 『근원수필』
의 발문에서 그의 사상의 일단을 짐작할 수 있다. "예나 이제나
우리 같은 부류의 인간들은 무엇보다 자유스러운 심경을 잃고는

살아갈 수 없다. 남
에게 해만을 끼치지
않을 테니 나를 자
유스럽게 해 달라.
밤낮으로 기원하는
것이 이것이건만 이
조그만 자유조차 나
에게 부여되어 있지
않다."

김용준의 북한에서의 모습을 그린 초상화

그런 그가 전란 때 북을 택하고 만 것은 남한 현실에 대한 염
증과 적화 시기의 '부역 행위'가 켕기었기 때문이었지 않았나 하
는 추리를 감안하더라도 파격적인 결행이라 아니할 수 없다.

월북 후 그는 조선미술가동맹의 중앙위원과 조선화분과 위원
장, 조선건축가동맹 중앙위원 등을 겸하면서 미술 교수로 있었
다. 이때 〈춤〉〈옥수수〉〈황금벌〉〈조국의 앞날을 생각하시며〉
등의 조선화(동양화)를 창작하며 비교적 안온한 생활을 한 것으로
알려진다. 특히 〈춤〉은 그만의 독특한 기법으로 민간무용을 서정
적으로 형상화했다는 북한 화단의 평가를 받았다. 그러나 김용
준으로선 여기까지가 북에서의 전성기이자 생의 끝자락이었다.

1967년의 어느 날 그는 평양의 한 아파트에서 63세를 일기로
자살했다고 한 고위 탈북자가 증언했다. '수령님의 초상화'가 실
린 신문지를 오려내지 않은 채 파지에 끼워 넣어 넝마 수매소에
넘겼기 때문이란다. 무심코 한 행위였겠지만 '수령님'을 우상시

하는 북으로선 중죄였다. 엄한 추궁과 비판에 못 견뎌 심약한 그는 그만 자살을 택하고 말았다는 것이다. 멋쟁이 신사였고, 자유분방한 지성인이었던 김용준이 애초 강압 사회를 택한 것이 잘못인지 모르나 그의 마지막 선택치곤 너무도 어이없고 우화 같은, 강요된 죽음의 선택이었다.

대구 6연대 반란 사건

        1948년 말과 1949년 초에 벌어진 세 차례의 '대구 6연대 반란 사건'은 군 내부의 사건이어서 대구 시민사회에 미친 직접적인 파장은 크지 않았다. 그러나 초급장교와 하사관 다수가 비명에 갔을 뿐 아니라, 반란 주동자들이 대부분 대구 출신이어서 그 가족들의 속앓이는 컸다.

    제1차 반란은 1948년 11월 2일 당시 대명동에 주둔해 있던 6연대 내의 좌익 혐의자인 곽종진 특무상사가 자신을 연행하러 온 헌병대의 조장필 소위를 권총으로 사살하면서 시작되었다. 조 소위가 쓰러지자 곽 상사와 한통속이던 이정택 상사가 '궐기'를 선동했고, 이에 동조하지 않은 하사관 10여 명을 사살하면서 확대되었다. 이들은 진압하러 온 헌병 장교와 사병 등 6명을 사살하고, 칠곡군 동명지서를 습격한 뒤 팔공산으로 들어가 빨치산이 되었다.

    제2차는 여순반군 진압 작전에 참전했다가 원대 복귀하던 6연

반란연대 6연대의 군영 정문(구 일본 보병 80연대)

대 소속 2개 중대(380명) 병력 가운데 좌익 성향인 이상백 상사를 비롯한 28명의 하사관과 14명의 병사들이 숙군을 두려워하여 이해 12월 6일 오후 성당못 근처에서 장교 9명을 사살하고 역시 팔공산으로 들어간 사건이다.

제3차는 이듬해인 1949년 1월 30일 포항에 주둔하고 있던 6연대 소속 제4중대 내의 좌익 사병 일부가 곽종진 상사 등의 지령을 받고, 백달현 소위와 하사관 1명을 사살한 뒤, 중대원들을 선동하다가 여의치 않자 탈주한 사건이다.

1946년 2월 18일 대구 중동에서 창설된 6연대는 태생부터 반란의 숙명을 지닌 연대였다. 연대 창설의 산파역은 학병 소위 출신인 대구 사람 하재팔(河在八)이었다. 좌익 성향이 강했던 그는 해방 직후 대구에서 사설단체인 '국군준비대'를 조직, 참모장을 하면서 좌익 청년들을 규합했었다. 미군정이 불법 단체로 몰자, 육사의 전신인 군사영어학교에 1기로 들어가 수료, 육군 참위(參尉, 소위)가 되어 정식으로 6연대 창설에 나선 인물이다.

6연대의 연대장은 초대가 김영환 참위, 2대가 최남근(崔楠根, 1911~1949) 부위(副尉, 중위), 3대가 김종석(金鍾碩) 정위(正尉, 대위), 4대가 심언봉 부위, 5대가 다시 최남근 부위였다. 이 중 초대와 4대의 재임 기간은 통틀어 3개월에 불과했고, 김 정위와 최 부위가 2년 반 동안 번갈아 맡아왔다. 이 두 최고 지휘관이 좌익 사상에 젖는 바람에 6연대의 기풍 역시 좌익 일색이었다. 이들이 부임하기 전에도 하재팔의 영향을 받은 표무원, 곽종진, 이정택, 이상백 등 좌익 성향의 하사관들이 연대의 정훈 조직을 틀어쥐고 있었다.

신문에 처음 대원 모집 광고를 낼 때의 입대 자격은 다소 까다로웠으나 응모 숫자가 기대에 못 미치자, 신체 건강한 자, 소학 졸업자, 사상 건전자로 극히 단순화시켰다. 즉 연령 제한과 전과 유무, 좌익단체 가입 불가 조건 등을 슬그머니 없앴던 것이다. 이 바람에 평소 친일 경찰 및 관리들의 재등용에 불만을 품었던 청년들은 물론, 폭력배, 대구 10 · 1사건 이후 쫓기던 청년들까지 피신처 삼아 다수 몰려들었다.

이들은 김 · 최 연대장의 비호를 받다가 새 연대장 부임 후 제주 4 · 3사건과 여순사건 끝에 숙군의 칼날이 자신들을 향해 조여오자 서둘러 반란을 일으켰다. 이 무렵 군내의 남로당 군사책은 포항 출신 이재복(李在福) 목사였다. 김 · 최 두 연대장도 이재복의 지령을 따르는 처지였으며, 6연대의 반란도 그 영향으로 결행된 것이었다. 이들 세 사람은 그 뒤 체포되어 모두 총살형을 받았다.

일본 육사 출신인 김종석도 아까운 인재였지만 특히 만군 출신인 최남근은 군 경력은 물론 인격, 통솔력, 호방한 인간미 등으로 군 후배들의 존경을 받던 인물이었다. 그도 나중 책임을 통감하고 결연히 죽음을 맞고 말았지만 그 역시 광포한 시대의 희생자였다. 반란 주동자들은 대구의 가족들에게 연좌죄란 멍에만 남긴 채 대부분 토벌되었고, '반란연대'가 된 6연대는 1949년 4월 22연대로 흡수, 해체되고 말았다.

박정희와 김창룡, 악연과 기연

　　　박정희의 집권 초기인 1960년대 중반, 청와대 민정비서관을 지낸 권상하(權尙河, 1917~2002)는 1937년도에 대구사범 심상과를 제4회로 졸업한 박정희의 동기동창이다. 3학년 여름방학 때 동급생 몇 명과 외톨이이자 독불장군 성격인 박정희의 고향집에 놀러 갈 정도로 그런대로 친한 터수였다. 또 졸업 후, 훈도로 발령받은 첫 임지가 박정희의 임지인 경북 문경과 가까운 상주 함창이어서 서로들 병아리 교사로서의 애환을 곧잘 나누던 사이이기도 했다.

　그런 두 사람이 대통령과 비서관이란 '산과 골'의 상하관계로 변했지만, 한때는 권상하도 박정희의 '백' 역할을 맡은 적도 있다. 한국전쟁 3차 연도인 1952년 무렵이었다. 당시 대령 계급인 박정희는 이종찬이 육군 참모총장이던 육군본부에서 이용문 작전국장을 보좌하는 작전차장직에 있었다.

　해방 몇 해 전 교직을 떠나 언론계의 중견기자 생활을 거쳤던 권상하는 정부 수립 얼마 뒤 경위로 특채되었다가 이 무렵엔 경감이 되어 경북도 경찰국의 공보실장으로 근무하고 있었다. 당시 전국 제일의 군사도시 대구시를 휘하에 둔 경북 경찰국 공보실장 자리는 대민 관련 기관의 고위 관리는 물론, 군 관련 고위 장교들과도 빈번한 업무 교류가 있던 자리였다. 이런 관계로 권상하 당시 대구의 동문동 옛 남선전기 사장 집에 사무실을 두고 있던 대령 계급의 김창룡(金昌龍, 1916~1956) 육군 특무대장과도 제법 왕래가 잦던 편이었다. 당시 이승만 대통령의 총애를 받고 있던 김창룡은 군의 인사, 특히 장군 진급 심사를 막후에서 좌지우지하는 숨은 실력자로 소문나 있었다. 이런 김창룡과 자주 만난다는 사실을 안 박정희가 어느 날 권상하에게 부탁을 해왔다.

"자네, 김창룡과 친하더구먼. 그래서 부탁이 하나 있다. 내가 장군 진급 심사를 받을 때마다 그놈이 노상 방해를 한다는 정보다. 내 진급 심사에 방해가 없도록 김창룡에게 한번 말해줄 수 없겠나?"

"얘기하지."

그런 뒤 권상하가 김창룡을 만나 말했다.

"내 동창 중에 고참 대령이 한 사람 있는데 김 대장이 어떻게 장군 진급이 되도록 힘써줄 수 없겠어요?"

"누군데요?"

"작전차장으로 있는 박정희요."

그러자 김창룡은 표정이 굳어지며 한마디로 말했다.

"권 실장, 그 사람은 안 됩니다."

"왜요?"

"이유는 말할 수 없습니다. 혹 딴 사람을 추천하면 별을 붙이는 데 힘써보지요."

권상하는 그 이유가 박정희의 좌익 전력에 있음을 곧 눈치챘고, 박정희와 만났을 때 김창룡의 힘으론 어렵겠더라고 넌지시 말해주었다. 그러자 박정희도 "내 그럴 줄 알았다"라며, 큰 기대를 하지 않은 듯, 별로 실망하는 표정도 아니었다는 것이 권상하 생전의 회고이다.

박정희가 그럴 줄 알았다고 생각한 데는 까닭이 있었다. 1949년 좌익 혐의 장교들에 대한 대대적인 숙군 작업이 이뤄졌을 때, 김창룡은 태릉에 주둔하고 있던 1연대의 정보주임이었다. 따라서 당시 태릉의 육군사관학교 1중대장으로 근무하고 있던 박정희 소령도 좌익 혐의로 김창룡의 숙군팀에 끌려가 모진 고문을 받아야 했다. 나중 백선엽, 장도영, 김점곤 등 군 선후배들의 지원에 힘입은 재판 끝에 무기 선고에 이어 형 집행정지로 풀려났지만, 김창룡 정보팀으로부터 받은 고문은 박정희로선 평생 잊지 못할 악몽이었음이 분명했다.

4·19가 나던 1960년 초여름, 서울에 살고 있던 대구사범 심상과 동창생들 50여 명이 일식집 '남강'에서 동창회를 열었을 때의 일이다. 은사인 박관수 선생도 참석한 이 자리에서 박정희는 당시 군내의 정풍운동에 기분이 좋았는지 대취했고, 주사도 심했다고, 박정희의 3년 선배인 독립운동가 송남헌(宋南憲,

1914~2001) 선생이 증언을 남겼다. "어떻게 난폭하게 술을 마시던 지 주변의 만류도 듣지 않고 시중들던 여인을 때려 코피를 흘리 게 하지 않나, 바짓가랑이를 걷어 올려 흉터투성이인 발목을 들 어 보이며 송 선배! 이걸 좀 보시오, 내가 김창룡이 그놈한테 이 렇게 당했소, 하며, 연신 분해하지 않나, 하여튼 이제 세상이 뒤 집어졌으니 뭔가 좀 해보겠다며 벼르는 투였다."

김창룡이 암살당하지 않고 살아 있었다면 5·16 후 아마도 박정희에 의해 제일 먼저 모질게 숙청되었을 것이다. 하지만 거 꾸로 김창룡이 생존해 있었더라면 5·16 따위는 물론, 어쩌면 4·19조차 어림도 없었을지 모르고, 그 이전에 박정희는 옷을 벗어도 여러 번 벗고 군문을 떠났을 것이다. 박정희도 모질다면 모진 축에 드는 유형이고, 김창룡은 그 몇 배나 모진 축의 사람 이다. 그 몇 배의 모진 사람이 어느 날 벼락을 맞아 사라지게 되 는 '악운'이 덜 모진 사람에겐 '행운'이 된 셈이었을까. 그렇다면 김창룡을 암살한 허태영 대령 일행의 총구가 한국의 현대사를 바꿔놓은 것이 되며, 박정희를 비롯한 5·16 세력이나 그 수혜자 들 모두는 고 허 대령 일행에게 '인연의 빚'을 지고 있는 셈이 될 까.

좌익지『민성일보』흥망사

해방공간에 대구 경북의 좌익을 대변한 신문은 『민성일보(民聲日報)』였다. 『민성일보』는 대구 언론사상 몇 가지 특이한 기록을 남긴 신문이다.

첫째, 해방 한 달 뒤인 1945년 9월 15일에 창간되었으니, 10월 3일의『대구시보』나, 10월 11일의『영남일보』, 이듬해에 창간된『남선경제신문』보다 먼저 창간된 신문이었다.

둘째, '민중(인민)의 소리'란 뜻인 제호 자체부터 지역지의 개념을 뛰어넘는 강한 전투성과 진취적 기상을 표방한 신문이었다.

셋째, 창간 후 서너 달 동안은 매일 4천 부를 찍어내, 잠시나마 대구에서 제일 많은 발행 부수를 기록한 신문이었다. 이 기록은 46년 초, 반탁 민심이 거세지면서 중도 우익지인『영남일보』에 의해 깨어지지만, 우익지인『대구시보』나, 중도 좌익지인『남선경제신문』에 비해『민성일보』는 처음부터 좌익의 대변지를 공언한 신문이었다.

『민성일보』의 초대 발행인 겸 사장 이목(李穆)은 일제 때 고려 공산청년회에 가입했다가 옥살이와 창씨개명 끝에, 경북 군위군의 금융조합장과 배급조합장을 지낸 인물이다. 편집인 도재기(都在琪) 역시 일제 때 야기 미츠하루(八木光治)란 이름으로 대구에서 경상물산주식회사 사장을 하던 사업가였다. 친일 과거사를 헤집는 좌익지의 최고 간부 치곤 그들 역시 약점이 적지 않은 인사들이었던 셈이다.

『민성일보』의 또 다른 기록은 휴간을 많이 했다는 점인데, 원인의 대부분이 강경한 좌파적 논조 때문이었다. 46년 9월 27일부터 보름간 자진 휴간한 것은 9월 총파업과 10·1사건의 여파였다. 그러나 경쟁지들이 대부분 10월 12일부터 속간을 했음에도『민성일보』만이 두 달쯤 뒤인 12월 8일에야 속간을 했다. 이목 사장이 10·1사건의 선동 혐의로 구속되어 회사 간판을 내릴 만한 위기였던 탓이다. 편집국장이던 민영근(閔榮根)이 2대 발행인 겸 편집인이 되어 가까스로 속간은 했으나, 이후 우익의 테러 공세로 만신창이가 되어야만 했다.

1947년 3월 29일, 권총과 곤봉, 도끼로 무장한 우익 청년들이 습격, 활자와 인쇄기를 파손한 데 이어, 회사 간판까지 떼어간 게 테러의 시작이었다. 6월 26일에도 괴한 5, 6명이 공장을 습격, 활자 케이스 4개를 뒤엎고 인쇄기를 파괴하고 달아났다. 이럴 때마다 1주일 전후의 휴간이 불가피했다. 이 밖에도 배달 업무를 방해당하고 구독자가 협박당하는 일이 잦았다. 또 편집국장과

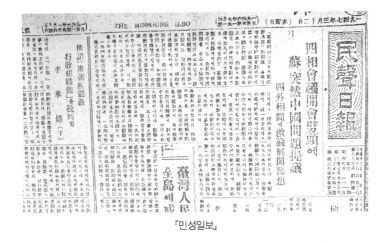

『민성일보』

기자들이 하찮은 일로 2, 3일씩 구속되기 예사였다.

수난으로 휴간이 거듭되자 독자는 자꾸 떨어져 나갔다. 48년 10월 25일의 발행 부수를 보면『영남일보』가 2만 3천 부,『대구시보』가 1만 3천 부,『남선경제신문』이 8천 3백여 부임에 비해,『민성일보』는 겨우 6천 7백 부였다. 종사원 수도『영남일보』가 150명,『대구시보』가 139명,『남선경제신문』이 83명임에 반해『민성일보』는 고작 46명이었다. 그만큼 경영이 어려워, 좌익의 열성 맹원들로 구성된 사원들은 쥐꼬리 봉급보다 '투쟁'을 한다는 오기로 버텨내고 있었다.

부수가 적은 좌익지다 보니 광고주들이 잘 붙지 않았다. 영화 광고와 함께 꾸준하게 실린 광고는 다른 신문에선 드문 의원 광고였다. 대광의원(배상우), 동광내과의원(정하택), 서소아과(서길영), 안소아과(안지열), 준명의원(최준향) 등이 특히 많이 실렸다. 신문사를 돕기 위해 경제력 있는 전문의들이 자진해 내는 협찬 광고였다. 이들은 '보건동맹'에 가입한 좌익 동정파 의사들이긴 했으나 실정법을 어긴 일은 없었다. 그럼에도 고깝게 보아온 미 군정 경찰은 47년 11월 대구의 개업 의사 12명을 군정법령 위반 혐의로 연행, 이 중 배상우, 김윤건, 서길영, 김상인, 안지열, 정원락 등 6명을 무더기로 구속하기도 했다. 의사들의 협찬 광고마저 끊긴『민성일보』는 48년 말 그 상큼한 제호며, 신형 윤전기, 특유의 '전의(戰意)'에도 불구, 부음도 못 낸 채 끝내 역사 속으로 사라져야만 했다.

제4부

분단과 전란에 찌든 시대상

반민자 체포 소동

1949년 대한민국 국민의 화제는 온통 '반민족 행위특별조사위원회'(약칭 반민특위)에 관한 것이었다. 1948년 12월 말에 힘겹게 법 제정의 절차를 모두 마친 뒤 새해 벽두부터 친일 거물들을 하나둘씩 체포하자, 오늘은 또 누굴 잡아가나 하는 것이 시중의 최대 화제였다. 대구의 신문들도 친일 인물들이 오랏줄에 묶여 가는 모습을 연일 보도하기에 바빴다.

전국적인 거물들은 임시정부 문화부장을 역임한 고령 출신 제헌의원이자 반민특위 위원장인 김상덕(金尙德, 1891~1956, 납북)이 직접 파견한 '특경대'에 의해 체포되기 시작했다. 대구 경북의 경우, 중추원 참의와 임전보국단 부단장을 지낸 고원훈(高元勳, 1881~?, 납북)이 1월 27일 그의 고향인 문경에서 체포되어 서울로 압송되었다. 2월 1일에는 역시 중추원 참의를 지내고, 비행기 헌납으로 유명한 문명기(文明琦, 1878~1968)가 고향인 영덕에서 체포되어 갔다.

같은 참의 경력을 지닌 대구의 갑부 서병조는 3월 21일 서울

명륜동 집에서 붙잡혀 갔으며, 참의 부의장을 지낸 친일 거두 박중양도 같은 날 대구에서 잡혀 '해방자'호 편으로 서울로 압송되었다. 이에 앞서 3월 2일에는 경북도 평의원을 거쳐 참의를 잠시 지낸 서병주가 자수했다고 신문들은 보도했다.

대구의 독립지사 정운일(鄭雲馹, 1884~1956)과 방한상(方漢相, 1900~1970)이 위원장과 조사관직을 맡았던 경북반민특위가 본격적인 조사 활동을 벌이던 3월 중에는 어용신문인 『매일신보』의 주주이자 대구 지국장이던 한익동과, 임전보국 경북 이사였던 부호 정해붕, 경북도 평의원과 대구부 의원을 지낸 허지, 역시 부의원을 지내고 임전보국 경북 이사였던 직물업부자 김성재, 그리고 도 평의원 김재환도 잡혀갔다. 대구의 정동(町洞) 연합회장을 지낸 배국인은 이 무렵 자수했다.

그러나 더 큰 화제는 동족을 잡아가 죽음의 고문을 자행하던 악질 경찰관들에 관한 것이었다. 악명 높던 최석현은 신속 체포를 기대했던 것과는 반대로 고향인 경북 봉화군 소천면의 산속에 숨었다는 설과, 일본으로 밀항했다는 설만 남긴 채 끝내 잡히지 않았다.

반면에 큰 사건 때마다 악명을 날렸던 고등계 형사 문구호(文龜鎬)와 김성범(金成範)은 3월 29일 맨 먼저 경북반민특위에 체포되었다. 또 같은 죄질의 고등계 형사였던 송세진(宋世秦)과 배만수(裵萬壽)도 3월 중순 잡혔으며, 오니게이부(鬼警部)로 소문난 경주의 서영출(徐永出)과 대구의 남학봉(南學鳳, 1895~?)은 유명세를 치르느라 2월 1일 서울의 특경대에 체포되었다.

현직에 있던 고위 친일 관리들 중 행정관리들은 어물쩍 넘어갔다. 그러나 친일 경찰관에 대해선 들끓는 국민감정이 도저히 용납하지 않았다. 일제 때 경부계급이었던 현직 대구 경찰서장 유철(劉徹) 총경이 특경대에 의해 대한민국 고위 경찰의 제복을 입은 그대로의 모습으로 수갑에 채워져, 연행되는 모습을 보인 것이 그 대표적인 예였다. 경찰의 체질 개혁을 위해 해방 후 '혁신경찰'로 특채되었던 어느 인사는 이 광경을 목격하고 이렇게 회고한 바 있다. "전후 사정을 다 이해하면서도, 정복을 입은 현직 경찰의 기관장을 당사자가 근무하던 경찰서 앞에서 대낮에 수갑을 채워 가는 모습만은 차마 보기 딱하더라."

'반민자' 체포는 다소 선정적인 언론재판에 영향을 받은 바 없지 않았으나, 국민감정은 그런대로 속 시원한 결과를 기대했다. 그러나 용두사미였다. 이승만 대통령의 노골적인 어깃장에 편승한 친일 관리들의 역공을 받아 안 하느니 못할 만큼 되었기 때문이다. 신문지상을 통해 잠시 수치감을 준 것 외에는 오히려 면죄부만 안겨준 꼴이었다. 무엇보다 동족을 욕보이는 데 앞장섰던 악질 친일 관리들만은 징벌했어야 옳았다. 신생 대한민국의 잘못 채워진 첫 단추치곤 두고두고 회한의 씨가 된, 한때의 어설픈 소동극이었다.

용두방천 사건 재판

1949년 5월 5일, 대구지방법원 1호 법정에는 대구 재판 사상 보기 드문 광경이 벌어졌다. 재판장의 심문이 막 시작될 무렵, 10명의 피고들 중 한 피고가 갑자기 법정이 떠나갈 듯 고함을 질렀다. "우리는 이따위 반동 정권의 재판을 못 받겠으니 집어치워라!" 그러자 나머지 피고 중 대부분이 일제히 "옳소!" "집어치워라" 하고 맞장구를 쳤다. 초만원을 이룬 공판정은 순식간에 소란해졌다. 단상의 재판장과 배석 판사들은 충격을 받은 듯 노한 얼굴이더니 이내 휴정을 선언했다.

얼마 뒤 속개된 공판에서 고함에 동참한 피고들은 구형량보다 훨씬 무거운 판결을 받았다. 사형이 4명, 무기징역이 3명, 10년 징역이 1명이었고, 여자 한 사람과 나머지 한 명만이 징역 1년에 집행유예 2년으로 풀려나게 되었다. 사형 언도를 받게 된 4명 중 두 명은 당초 10년 구형이었으며, 무기징역 언도를 받은 3명은 각각 5년, 4년, 3년의 구형이었다. 통상 구형량에 비해 선고량이 적게 나오는 항례와는 반대인 이런 판결은 재판정에서 대한민국의 존재 자체를 원천적으로 부정하는 피고들의 극언에 판사들이 얼마나 격노했나를 보여주는 방증이었다. 그렇기로서니 중형 판결을 내린 것은 너무했다는 방청석의 반발도 있었다.

세칭 '용두방천 무장봉기 음모 사건' 재판으로 불린 이 재판은 좌익 청년단체 맹원들로 구성된 피고들이 "용두방천에 장총과 수류탄을 숨겨두고 무장봉기를 꾀했다"는 혐의였다. 압수한 무기들을 제시하며 구형한 사람은 뒷날 법무장관이 되는 김치열(金致烈, 1921~2009) 검사였고, 재판장은 뒷날 대구고법원장이 되는 김용식(金龍式) 판사였다. 그 아래 노변건, 이종락 두 판사가 배석했었다. '폭동 음모범'으로 중형을 선고받은 8명은 김종수(32세), 황경옥(28), 박석만(27), 최인환(27) 김수명(27), 김용문(24), 양남준(23), 양구영(19) 등 청년·학생들이었다.

이날 징역 3년의 구형을 받았다가, "옳소!"란 맞장구 한 번으로 '폭도'의 일원이 되어 무기징역 언도를 자초한 양구영(楊九煐)은 대륜중학 3학년생으로 미성년이었다. 그의 가족들은 그렇잖아도 남로당 대구 동구 오르그로 활동하다가 구속된 구영의 둘째 형(뒷날 처형) 사건도 있어, 구영의 감형을 위해 천신만고로 손을 쓰던 중이었다. 그 노력이 결실을 볼 순간, 어이없게도 구영 자신이 뇌동하여 일을 그르치고 만 것이었다. 단순한 연락책이었고, 중학 하급생이었던 만큼 웬만하면 집행유예쯤으로 풀려나리라던 기대가 물거품이 된 셈이었다.

설익은 이상주의에 젖어 있던 청년들은 중형을 받고서야 항소들을 했다. 평상의 시국이었다면 대부분 몇 년간의 옥살이로 그럭저럭 풀려날 몸이었다. 그러나 시국은 불행히도 그들의 편이 아니었다. 1년 뒤 북의 기습 남침으로 나라가 위급하자, 좌익수들이 제일 먼저 보복의 대상이 되었다. 핏발이 선 군경들에 의해 이들은 다른 좌익수며 보도연맹원들과 더불어 가창골의 원혼이 되고 말았다.

청렴 강직하기로 소문났던 김용식 재판장은 퇴직 후 변호사로 지내던 1963년 5월 18일, 67세를 일기로 대구 동성로 자택에서 돌연 자살함으로써 세인들을 놀라게 했다. 가난과 고독이 주원인이었다는 소문과 함께, 지난일들이 괴롭게 회상되어 심한 우울증을 앓던 끝에 세상을 하직했다는 풍문도 돌았다. 그의 회상 속에 이 중형 선고 재판이 끼어 있었는지 여부는 알 수 없다. 분명한 것은 이들 청년 학생들의 경우, 순간의 객기가 죽음의 문턱을 밟게 한 탓도 있지만, 설사 중형을 면했다 쳐도, 1년 이상의 징역형을 선고받은 피고라면 누구든 '골'로 갈 수밖에 없는 '광란의 시국'이 되어버렸다는 것, 그리고 그런 시국을 만든 남침의 주역들이 바로 그들 사상의 지배자들이었다는 사실이다.

보도연맹 강제 가맹

      6·25로 인한 민족적 비극은 반세기를 넘긴 지금까지 많은 이에게 아물지 않은 상처로 남아 있다. 특히 보도연맹에 강제로 가맹했다가 변을 당한 피학살자 유족들의 원한은 깊다. 일제 말엽의 '시국대응 전선사상 보국연맹'을 모방한 '국민보도연맹'(약칭 보도연맹 또는 보련)이 조직, 설립된 것은 1949년 6월이었다. '타공(打共) 시국'의 법적 근거라 할 수 있는 국가보안법이 48년 12월에 제정되자, 이미 전향했거나 전향시킬 좌익 인사들에 대한 반공 교화와 선무 공작을 위한 조직의 필요성이 시급히 대두되었다.

    당시 내무장관 김효석(金孝錫, 1895~1966, 납북)이 아이디어를 낸 것으로 알려졌는데, 그는 이승만 정부의 각료 중 조봉암(曺奉岩, 1898~1959)에 뒤지지 않는 진보 성향의 인물이었다. 선무 공작의 노림수도 깔려 있었지만 김효석 나름의 순수한 동기도 없지 않았다. 좌익 인사들을 끌어안고 보호를 통해 계도(啓導)함으로써, 신생 대한민국의 건국에 동참할 기회를 주자는 의도였다.

의도는 변질됐지만 조직은 순조로워, 49년 말 시점에서 전국 맹원이 30여만 명에 이를 정도였다.

대구를 포함한 경북보도연맹은 1949년 11월 6일 대구역전 공회당에서 1천여 명의 청중이 모인 가운데 선포식을 가지면서 설립되었다. 이날 각계 인사들이 참석한 가운데 열린 선포식에서 맹원들은 다음과 같은 충성의 맹세를 해야만 했다. ① 오등(吾等)은 대한민국 정부를 절대 지지 육성을 기함. ② 오등은 인류의 자유와 민족성을 무시하는 공산주의 사상을 배격 분쇄할 것을 기함. ③ 오등은 이론무장을 강화하여 남북 노동당을 분쇄함을 기함. ④ 오등은 민족진영 각 정당 사회단체와 보조를 맞추어 총력 결집을 기함.

이후 박승준(朴承俊) 대구지검장, 조재천(曺在千, 1912~1970) 경북도경 국장, 백기호(白基浩) 경북 보련 간사장 공동명의로 신문에 가맹권 고문을 내었다. 과거 행위를 불문에 부칠 테니 자수 마감일인 11월 20일까지 자수할 것을 강조하면서 은근히 어르는 내용이었다.

"남로당원, 그 대중단체 맹원 동지들이여, 자수하시라. 그 가족들이여, 그 친우들이여, 자수하도록 인도 권유하시어 한 사람의 낙오자도 없기를 절실히 바란다. 가맹하지 않은 자는 악질분자로 규정하여 엄중 처단이 있을 것이다."

11월 23일 대구에선 모두 1,554명이 가맹한 것으로 집계되었다. 이중 절반이 학생이었고, 민청원이 약 20%, 남로당원이 약

17%, 여맹원이 약 8%였다. 가맹 성적이 고무적이자, 사직당국은 곧 군(郡)부 조직을 마치고, 새로운 선무 공작도 펼 것이란 자신감까지 보였다. 사실 보련에만 가맹하면 과거사를 불문에 부친다는 당국의 '공언'이 있기 전부터 도하 각 신문에는 '탈당 성명서'란 제목의 보신형(保身形) 전향 성명서가 줄을 잇고 있었다.

"나는 공산주의 분자의 모략에 빠졌음을 절실히 깨닫고 금후는 여하한 경우가 있더라도 공산주의를 배격하고 완전히 이탈할 것을 성명합니다. 나는 과거의 죄상을 반성하고 금후 우리 대한민국의 국책에 순응하여 충성을 다 바쳐 건국 사업에 노력하겠습니다. 만일 추후라도 어그러짐이 있을 때에는 여하한 처단이라도 감수하겠음을 서약합니다."

개인 성명뿐만 아니라 경북 도내 각 지방에선 수십 명씩 연명으로 좌익단체 탈퇴 성명서를 내자마자 무더기로 보련에 가맹하는 일도 있었다. 보련 가맹이 지난날의 사상적 과오에 대한 일체의 면죄부가 되는 것처럼 인식되었고, 사직당국 역시 그렇게 종용했기 때문이다. 그런 가운데 차츰 강제성이 더해졌다. 지역별 할당제도 강요되었다. "A군에선 지난주에 100여 명이 가맹했는데 너희 B군에선 왜 그 모양이냐?"는 상부의 질책이라도 받으면 실적을 올리려고 좌익 전력이 없는 사람들까지 맹원 명부에 끼워 넣는 판국이었다. 몇 달 뒤 전쟁이 나자, 이때의 강제 날인 명부가 '저승사자 명부'가 될 줄은 그 누구도 알 턱 없이.

이호우와 이문구의 기연

경북 청도 출신 시조시인 이호우(李鎬雨, 1912~
1970)와 충남 보령 출신 소설가 이문구(李文求, 1941~2003)는 등단
이전에 교분이라곤 전혀 없던 사이였다. 등단 시기, 활동 연대,
출신 지역, 문학 장르 중 어느 것 하나 인연의 줄이 닿지 않은 까
닭이었다. 그럼에도 두 사람 사이에 의외의 기연을 보인 데다,
특히 이문구의 문학 입문 동기에 이호우가 결정적인 영향을 미
친 결과가 되어 문단 안팎의 화제가 되곤 했다.

1950년 4월 초, 시인 이윤수(李潤守)가 대구 동성로에서 주업
인 명금당(名金堂) 시계포를 새로 개업하고 손님을 기다리고 있
을 때, 맨 처음 나타난 사람은 한 낯선 여성을 대동한 시조시인
이호우였다. 두 사람이 막 의자에 앉을 즈음, 두세 명의 모 기관
청년들이 들이닥쳐 권총을 겨누며, "손 들어!" 하고 소리쳤다. 그
길로 이호우는 사지로 끌려갔다. 그와 동행한 여성이 당시 검거
대상인 남로당 여성동맹원이었으므로 이호우 역시 간첩이라는
혐의였다.

'타공(打共) 시국'의 막바지였던 이 무렵은 오열(五列), 즉 간첩이란 혐의로 한번 끌려가면 여간해선 살아 나오기 어려웠다. 더러 멀쩡한 사람도 심한 고문 끝에 간첩으로 몰리는 살벌한 세상이었다. 한번 끌려가면 재판도 제대로 받지 못하고 후미진 산골짜기에서 처형된다는 끔찍한 소문이 돌던 준전시(準戰時) 시국이기도 했다. 그러므로 "이호우는 이제 경각에 달린 목숨이다!"란 것이 주변 사람들의 걱정이자 탄식이었다.

그러나 이호우는 모진 고문을 겪긴 했지만 두 달 뒤 가까스로 풀려났다. 문인들의 구명운동 덕이었다. 향토 문인들의 탄원을 받은 중앙문단의 조지훈(趙芝薰, 1920~1968), 구상(具常, 1919~2004) 시인 등의 앞장선 석방운동과, 당시 경무대 공보비서였던 김광섭(金珖燮, 1906~1977) 시인과 공보처 차장이던 이헌구(李軒求) 평론가 등, 관직에 있던 문인들이 앞장선 범문단적인 노력 끝에 이 대통령의 특명으로 풀려날 수 있었던 것이다.

이호우가 문인이 아니었든지, 문인이어도 '무명'의 시인이었다든지, 혹은 그날 목격자가 없는 곳에서 혼자 끌려가 속전속결로 처리되었더라면 목숨을 부지하기 힘들었음이 분명했다. 뿐더러 달포만 늦게 풀려났거나, 한두 달만 뒤늦게 잡혀갔어도 살아나긴 어려웠을 것이다. 뒤미처 6 · 25 광풍이 불어, 조그만 사상 혐의나 모함만 받아도 속절없이 처형되는 무서운 세상으로 변질했기 때문이다.

이호우의 횡액은 십수 년 뒤, 한국 문단에 소설가 이문구의 탄생에 기여하는 의외의 소득을 낳았다. 한국 현대 문인들 가운데

이호우

이문구

이문구의 경우처럼 비극적인 가족사를 지닌 문인도 흔치 않다. 이문구의 아버지는 해방정국의 혼돈 속에 한 때 어영부영 남로당 보령군책(保寧郡責)으로 추대받았던 경력을 씻기 위해 보도연맹에 가입해 있었음에도 인민군의 남침에 따른 광란의 후퇴 시기 고향 치안기관에 의해 무차별로 처형되었던 인물이다. 육사 2기로 입교했다가 위장병으로 자퇴해 집안일을 거들던 그의 둘째 형도 다른 사람들과 한 오랏줄에 엮인 채 운명을 같이했다고 한다. 게다가 당시 18세였던 그의 셋째 형마저 부친과의 연루 혐의로 대천해수욕장의 겨울 바닷속에 산 채로 수장되는 참극을 당했다. 이문구가 태어나기 전 일본군에 강제 징집돼 도일했던 그의 맏형 역시 실종된 지 오래였다.

요행히 나이가 어려 죽음을 면한 넷째 아들 이문구는 순식간에 집안의 장남이 되었다. 중학 시절 소설을 즐겨 읽던 그는 이호우 시인의 구사일생 사건을 책에서 읽곤 자신도 문학을 하기로 결심했다고 한다. 작가가 되면 동료 문인들이 살펴봐주어, 개죽음만은 면할 수 있겠다는 자위 본능에서였다. 문학 역시 소질이 전제되어야겠지만 집념으로 정진할 강한 동기 부여가 있어야만 웬만큼 성공에 다가갈 수 있다. 이문구로선 세속적인 인연의 뿌리가 없었음에도 이호우 시인의 수난 일화가 기묘하게도 동기 부여를 해준 셈이었다. 생전에 이문구는 작가 김동리를 자신의 문학적 사부로 섬기며 보살핌을 받아왔다. 그렇다면 이호우 수난 사건이야말로 그의 문학 입문 동기이거나 '요람'이었다고 해도 좋을 듯하다. 70년대 중반 엄혹한 유신 통치 시기 이문구가 자유실천문인회를 위해 앞장서서 일해왔음에도 별 탈 없이 넘길 수 있었던 것 역시 그가 이들 아버지 세대 문인들로부터 받은 특별한 음덕에 힘입었다고 보아 무방할는지 모른다.

한국전쟁 발발 직후의 대구 모습

6·25 발발 한 달 전부터 대구에 와 있던 방랑 시인 공초(空超) 오상순(吳相淳, 1894~1963)은 마침 대구역 앞 한 술집에서 6월 24일 밤부터 25일 새벽까지 향토 문우들과 술잔을 나누고 있었다. 새벽녘에 남침 소식을 듣는 순간, 술이 확 깨더라고 했다. 이튿날 대구 거리에 벽보가 나붙고, 비상경계령이 내려지자, 그날 이후 공포와 의분으로 잠을 이룰 수 없었다고 회고한 적이 있다.

6월 26일 "각자 동요하지 말고 직무에 충실하라"는 조재천(曹在千) 경북지사의 긴급 담화가 나왔다. 도경국장이던 조재천은 다섯 달 전 앉은자리에서 일약 도지사로 대영전해 있었다. 이어 27일에는 대구 주둔 2613(방첩)부대장 명의로 "경거망동을 삼가하라"는 다음과 같은 내용의 경고가 나왔다.

① 일반은 동요 없이 군을 신뢰하고 생업에 종사하라.
② 군의 명령지시에 절대 복종하라.

③ 유언비어를 조작 내지 동조하지 말라.

④ 이적 행위를 한 자는 엄중 처단한다.

⑤ 인적 물적 징용동원에 적극 협조하라.

⑥ 집회와 흥행은 일체 금지한다.

⑦ 기타 군 작전에 지장이 되는 일체의 비애국적 행동을 엄금
   한다.

이런 경고문과 때맞춰 경찰은 등화관제를 실시하기 시작했고, '흥행 금지'란 경고 조항에 주눅이 든 대구 시내의 요정들은 일제히 휴업계를 내었다. 영화관 문은 닫지 않았으나 손님이 뜸했고, 요란한 광고는 자취를 감추었다. 29일에는 대구 경찰서장 명의로 유언비어 유포자, 암약 망동자, 북괴방송 청취자 등 이적 행위자는 엄중 처단한다는 경고가 나왔는데, 이는 이 시점에서 이적 행위를 할 부류는 지하남로당원이 아닌 한, 보도연맹원 외엔 달리 없다는 예단에서 나온 조치였다. 결국 그동안의 보련 조직이 치안당국의 위협과 강요에 의해 급조된 결과, 자칫 '트로이의 목마'가 될지 모른다는 속셈을 실토한 셈이었다.

위기를 절감한 경북 보련 측은 재빠른 '충성 성명'부터 내놓았다. 의심 가득한 경찰의 눈길을 우선 피하기 위해서였다. "갱생의 기회를 준 국은에 보답하기 위해 '타공 정신'을 살려 충성을 다할 것을 삼천만 민족과 천신지신에 맹세한다"는 것이 충성 성명의 골자였다.

그럼에도 여전히 보련이 못 미더웠던 경찰은 7월 1일 다시금 거센 경고 담화를 내놓게 된다. 이번에는 아예 보련 맹원들을 노

6·25 피란 시절 군의 관할 아래 시위대를 통제하는 모습(대구 중앙로)

골적으로 겨냥한 내용이었다. "보련 맹원들 가운데는 간혹 이중 인격자가 가맹한 경우도 있다는 정보가 있는바, 아직도 자각을 못 하고 잠복해 있다면 색출해서 엄벌에 처하겠다"는 경고였다. 아울러 "남침 직후 38선 부근에서 보련 맹원들이 천인공노할 보복 만행을 저질렀다"는 사례까지 들었다.

시시각각 조여오는 이런 살벌한 경고에도 대다수의 보련 맹원들은 극도로 움츠러들기만 했을 뿐, 뾰족한 방책을 찾지 못하고 있었다. 설마 하는 심정 못지않게, 당장 생업에 쫓겼던 탓이다. 날렵한 극소수 맹원들만이 몸을 숨겼을 뿐이다.

이날 이후 서울의 유학생과 군경 가족 등 첫 피란민 물결이 내려오자, 대구도 이제 숨 가쁜 전시도시의 분위기가 완연했다. 그러자 조 경북지사는 7월 2일 전시대책위원회를 만들어 임시 식량 대책 수립과 후방 임전 태세 확립을 독려했고, 소진섭(蘇鎭燮, 1910~ 2000) 대구지검장은 비상사태하의 범죄 처벌에 관한 특별 조치령을 들먹이며 이적 행위자와 파렴치범은 극형에 처한다고 엄포를 놓았다. 이 엄포 덕분인지 시중의 쌀값이 잠시 내렸고, 수급도 원활해졌다.

그러나 전황이 한층 위급해진 7월 11일에는 마침내 비상계엄령이 내려졌고, 경남북 계엄사령부 명의의 포고 1호가 나오면서, 대구는 단숨에 군법의 다스림을 받는 살벌한 '전투도시'로 변모했다. 7월 16일, 대전에 피란해 있던 이승만 대통령이 대구로 밀려 내려오자, 어느새 대구는 세계의 이목이 쏠리는, '풍전등화 대한민국'의 임시수도가 되어 있었다.

1950년 7월의 생(生)과 사(死)

보도연맹원에 대한 대구 일원의 대대적인 검거 선풍은 1950년 7월의 둘째 주부터 시작되었다. 7월 초부터 드리우기 시작한 죽음의 그림자는 불길하고 음산한 안개처럼 다가왔지만 대부분의 사람들은 "설마!" 하며 방심하고 있었다. 대구문학가동맹에 가입해 있던 아동문학가이자 대륜중학교 교사였던 김홍섭(金洪燮)은 7월 12일, 수업 중에 불려 나와 경찰에 연행되었다. 가족은 물론, 동료 교사들과 제자들에게 미처 작별인사도 못 한 채 연행돼 나오면서도 그는 자신의 안위보다 수업 차질에 대한 걱정부터 앞세우는 천직의 교사였다. 그길로 그는 다시는 가족들에게 돌아오지 못했다.

대구의 민주주의민족전선 간부였고, 대구 언론계의 중진이었던 마영(馬英)은 언론인다운 정보력과 센스로 그때까진 한 번도 예비검속에 걸려본 적이 없었다. 경북 보련 결성대회 때는 사회까지 맡는 등, 치안 간부들과도 말을 트고 지내는 사이였다. 때문에 "설마하니, 나를…" 했던 방심이 화근이었음을 경찰서 유치장에 갇히고서야 뼈저리게 깨달았으나 때늦은 후회였다.

경북문련 위원장 등의 경력을 지닌 이응수(李應壽, 1913~1950) 변호사는 불과 한 달여 전에 치렀던 5·30 국회의원 선거에서 낙선한 피로감에서 벗어나지 못하고 있었다. 그 역시 보련 명단에 들어 있었지만 국회의원 출마 자체가 정치적 과거사와의 결별 행위라고 여겨 굳이 과민해하지 않고 있었다. 7월 13일 형사들이 연행하러 왔을 때, 아무리 막가는 시국이라지만 현직 변호사인 자신을 설마 어쩌랴 싶어, 가서 따질 셈으로 순순히 따라간 게 오산이었다.

대구의 인민당 간부였던 유한종(柳漢鍾)은 7월 10일쯤 심상찮은 낌새를 눈치챈 즉시 경산군 안심면의 정치 동지였던 백기호의 과수원 집으로 도망쳤다. 백기호는 6·25 직전에 이미 피신차 상경한 뒤여서, 구면인 백기호 모친의 도움으로 과수원 내 구석진 곳에 구덩이를 파고 은신할 수 있었다. 두 달 반의 두더지 생활 끝에 백랍 같은 얼굴로 살아나온 그는 재차 부산으로 도피함으로써 무사히 위기를 넘겼다.

6·25 직전인 50년 6월 14일 대구형무소의 재소자는 약 4천 명이었다. 이 중 120명의 여성 수인을 제외하곤 모두 남성이었으며, 국가보안법 위반자가 절대 다수인 약 3천 명에 이른다고 이용기 당시 형무소장이 밝힌 바 있다. 49년 말 대구의 보련 가맹자가 1,500명을 웃돌았고, 그 뒤에도 계속 늘어나, 6·25 직후엔 적어도 2천 명 선을 넘었을 것으로 추산된다. 이 중 적게 잡아 70%만 검속되었다 쳐도 1,400여 명이 죽음에 내몰렸던 셈이다.

따라서 기존의 좌익 재소자 3천여 명과 합쳐, 모두 4,400여 명의 좌익수 또는 '무고한 좌익 혐의자' 중, 과연 얼마만 한 수효의 생령이 목숨을 잃었는지 정확히 아는 사람은 아무도 없다. "오랏줄에 묶여 수없이 트럭에 실려가는 모습만 봤다"는 증언만 넘친다.

경북 달성군의 가창골과 경산군의 코발트광산 등에서 떼죽음당한 사실만은 밝혀졌지만 정확한 명단과 숫자는 여전한 미궁으로 남아 있다.

대구 임시수도 33일

　　전국 3대 도시의 하나였던 대구의 성세(盛勢)는 근년에 들어 4대 도시 축에도 못 들 정도로 형편없이 오그라들었다. 하지만 대구는 6·25전쟁 초기 한때 대한민국의 임시수도에 이어, 3년간 전국 2대 도시가 되었을 정도로 당당했다. 1950년 7월 16일 대전에서 황급히 피난해 온 정부는 영남의 내륙 웅도인 대구를 임시수도로 삼아 33일간에 걸쳐 건곤일척의 반격 작전을 시도했다. 졸지에 임시수도가 된 대구의 모습은 어땠을까.

　　대구로 피신해 온 이승만 대통령은 동인동 현 국채보상공원 서북쪽에 있던 경북지사 관사를 임시 관저 겸 집무실로 삼았다. 함께 온 신성모(申性模, 1891~1960) 국무총리 서리 겸 국방장관은 현 한은 대구지점 자리인 국방부 임시청사에서, 조병옥 내무부 장관은 도지사실을, 지사와 내무차관은 도내무국장실을 각각 집무실로 썼다. 현 한일시네마 자리인 문화극장은 국회의사당으로 쓰였다.

임시수도가 된 이튿날 국방부 정훈국장 이선근(李瑄根, 1905~ 1983, 뒷날 문교장관) 대령의 긴급 담화가 신문에 실리면서 전황에 대한 위기감이 고조되었다. "현대전은 국민총력전이다. 전국(戰局)을 수수방관하거나, 국외 탈출기도 자는 엄벌됨을 맹성하라"는 요지였는데, 주로 부유층을 겨냥한 경고였다. 20일부터 전쟁 직전에 발행했던 천원 권과 백원 권의 새 화폐가 통용되기 시작하자, 난리통에 웬 새 돈 교환이냐는 시민들의 떨떠름한 반응이 앞섰다.

이어 21일 오전에는 계성중학교 교정에서 관 주도형의 국민총궐기대회를 열고, "총역량 집결로 멸공전진하자"고 결의했다. 전란 32일째인 7월 27일엔 임시의사당인 문화극장에서 제8회 임시 국회가 열렸다. 참석 의원은 모두 130명이었다. 전체 210명의 의원 중 약 38%인 80명 의원들의 생사가 묘연한 가운데 열린 비분에 찬 회의였다. 목이 멘 신익희(申翼熙) 의장은 "이럴수록 국민의 여망에 부응하여 선량의 책무를 다하자"라고 호소했다.

대구 시내의 각급 학교 교실은 거의 후방 보급부대와 임시육군병원 차지가 되었다. 길 가던 청년들은 강제 징집되기 시작했고, 중학 상급생 이상은 학도병에 지원하기도 했다. 전선이 낙동강까지 이른 8월 7일에는 대구방위사령관 명의로, "대구 시민도 피란을 가야 한다"는 유언비어에 속지 말 것, 통금(밤 9시~아침 6시) 위반자는 즉석에서 사살할 것, 도로 아닌 산길로 다니는 행위는 스파이로 오인되므로 엄금한다는 서슬 푸른 경고가 나왔다.

피란 시절의 군중들

　그럼에도 "대구도 위험하다"는 소문이 계속 번지자, 조병옥 내무장관이 "절대 천도는 없다"는 긴급 담화를 내기에 이르렀고, 미국 펜타곤(국방성)에서도 외신을 통해 "대구 수호만은 확실하다"라는 성명을 내는 판국이었다. 때문에 8월 15일 임시의사당에서 열린 광복 5주년 기념 행사는 시종 비통한 분위기였다. 이 대통령의 경축사는 공허하게 들렸고, "하늘은 돕는 자를 돕는다"라는 신 국회의장의 치사 역시 맥이 빠져 있었다.

　이런 가운데 정부가 다시 봇짐을 싸기 하루 전인 8월 16일, 느닷없는 이 대통령의 특별 담화 하나가 대구 시민들을 황당하게 했다. 이 대통령의 담화는 "대구뿐만 아니라 거리 곳곳에 넘쳐나는 인분으로, 파리와 구더기가 들끓고, 냄새 또한 진동하니, 국민 위생상은 물론 외국인들이 보고 뭐라고 욕하겠는가" 하는 개탄의 내용이었다. 말인즉 옳은 말이었다. 그러나 대통령 자신을 포함한 집권층의 무비유환(無備有患)이 빚은 전란으로 민초들의 생명과 재산이 시시각각 요절나고 있는 판에 무슨 한가한 청결 문제냐, 하는 것이 바닥 민심이었다. 대통령의 때아닌 특별 담화에 움찔한 조 경북지사는 "가로변에서 소변을 누거나, 대로상에 분뇨통을 방치하는 행위는 민족의 명예를 위해서도 즉각 금지하라"며, 거창한 민족 명예론까지 들먹이며 즉각적인 맞장구 지시를 예하 기관에 내리지 않을 수 없었다. 한가한 담화를 던져놓은 다음 날로 대통령은 부산 피란길에 올랐다.

'8 · 18 대구 사수의 날'이 되기까지

　　　　　1950년 8월 18일은 6 · 25전쟁 중 대구로선 최대의 위기이자 마지막 항전의 기회였던 까닭으로 이른바 '대구 사수(死守)의 날'로 전해지고 있다. 8월 15일 왜관을 점령한 인민군은 17일에는 포항, 성주, 거창까지 밀고 내려왔다. 대구 시내에 별안간 박격포탄 수발이 날아와 시민들을 공포에 떨게 했나 하면, 밤이면 대구 북단 팔달교(八達橋) 너머로 가끔 은은한 포성도 들려왔다. 아군은 필사적으로 버티고 있었으나 인민군의 막바지 공세가 워낙 거세어 임시수도 대구도 자칫 함락될 것처럼 보였다. 이에 그동안 천도 불가를 공언해오던 이승만 정부와 미 8군 사령부는 17일 밤 긴급 합동회의 끝에 부산으로 천도하기로 결정하고, 18일 새벽 은밀히 움직였다. 잇달아 "비전투원도 조속히 피난시키라"는 긴급 소개령(疎開令)도 새어 나왔다.

　이날 밤 공교롭게 만취 끝에 긴급 회의에 불참, 18일 아침 7시 임시 장관실(경북도지사실)로 달려 나온 조병옥(趙炳玉) 내무부 장관의 얼굴은 벌겋게 달아올라 있었다. 회의에 참석 못 해 반대

한국군과 미군 수뇌들의 작전회의. 오른쪽이 이종찬 육참총장. 창문 쪽은 이용문 장군

의견을 개진할 기회를 놓진 자책감에 곁들여, 왜 이런 성급하고 패배적인 결정을 내렸느냐는 반발심 때문인 듯 보였다.

잠시 후 장관실에서 고함치는 소리가 들렸는데, 뜻밖에도 조준영(趙俊泳) 경북도 경찰국장의 목소리였다. "유석(維石)! 이게 무슨 뚱딴지 같은 결정이오? 즉각 취소토록 하시오!"

도경 국장이 내무장관에게 감히 "유석!" 하고 호를 부르며 고함을 칠 수 있었던 것은 "나라가 망하고 나면 무슨 놈의 군대이고 경찰이 있겠느냐"는 항변의 뜻과 함께, 계급 관계를 떠나 같은 한양 조씨로서, 청년 시절부터 막역한 사이였기 때문이다. 유석은 조 국장의 맏형인 조근영(趙根泳, 미군정 경북도 경찰부장)과, 중형인 제헌국회의원 조헌영(趙憲泳, 1901~1988, 조지훈 시인의 부친)과도 교분이 두터운 사이였다. 이런 인연 등이 얽혀 전북 보안과장이던 조준영은 불과 닷새 전인 8월 12일부로 경무관으로 승진

되면서 경북도경 국장에 취임한 터였다.

조준영은 일경(日警) 출신 부하들에겐 간혹 고지식한 인물로 비쳤으나 선비 기질의 우국지사형 인물인 점은 대부분 인정했다. 당시 공석 중이던 과장을 대리해 경북도 경찰국 사찰과 부(副)과장으로 갓 부임해 있던 최석채(崔錫采, 1917~1991, 뒷날 원로 언론인) 경감은 이런 광경을 목격하고, "조 국장이 때마침 도경 국장에 취임해 있었던 것이 대구로선 참으로 행운이었다"라고 뒷날 회고한 바 있다. 조 국장의 격정적인 항의에 자극받아, 조 장관이 대구 소개령 취소 요청을 하기 위해 워커 미8군 사령관에게 한 걸음으로 달려갈 수 있었다는 해석이다.

워커에게 유석은, "대구에서 철수하면 부산도 지켜낼 수 없다. 경찰력만으로라도 대구를 사수할 테니 즉각 소개령을 취소하고, 미8군 사령부의 후퇴도 재고하기 바란다"라고 애써 설득한 것이 주효할 수 있었다는 것이다. "소개령이 취소됐으니 즉시 취소 사실을 공포하라"는 장관의 전화를 받은 조 국장은 "나는 수성교 쪽을 맡을 테니 최 과장은 신암교 쪽으로 가시오"라고 말했다. 최 경감이 형사 두 명을 대동하고 스리쿼터에 올라 신암교쯤에 이르자, 공포에 질린 피란민들이 물밀듯이 밀려가고 있었다. 군중 속엔 밀짚모자를 눌러쓴 국회의원들도 보였다. 신변에 위험이 닥치니 지도층도 별수 없었다. 최 경감은 신암가도를 달리며 메가폰으로, "소개령은 취소되었소! 대구는 까딱없으니 모두들 귀가하시오!"라고 거듭 외쳤다. 한 시간 넘게 외쳐대자 사태는 진정되어갔다.

이날 두 조 씨의 재빠른 반전(反轉) 작전이 없어, 시민과 피란민들의 공황심리를 막지 못했더라면 대구의 방어망은 쉽게 뚫렸고, 대구가 무너졌다면 전세 역전은 불가능했을 거란 게 정설이다. 저마다 살려고 달아난 텅 빈 도시를 등지고는 아군의 '필사즉생(必死則生)'식 전의가 생길 리 만무했다는 것이다. 8 · 18 대구 사수의 날을 계기로 아군은 낙동강 교두보를 끝까지 지켜낼 수 있었고, 이를 고비로 반격의 주도권을 잡을 수 있었다.

이제 8 · 18을 기억하는 대구 시민은 거의 없다. 하지만 조병옥과 조근영은 각각 휴전 후 야당 후보로 출마한 국회의원 선거와 민선 도지사 선거에서 대구 시민들의 보답성(報答性) 지지에 힘입어 여당인 자유당 경쟁 후보들을 가볍게 누르고 당선되는 영광을 안게 된다.

대구의 문총구국대

전쟁이 나자 1950년 6월 29일 문화예술인들도 구국에 동참하자며 결성된 단체가 문총구국대(文總救國隊)였다. 6월 28일 간신히 한강을 건너 피신한 시인 서정주와 조지훈, 이한직은 29일 정부가 있는 대전에 도착, 이선근 국방부 정훈국장의 승낙을 받고 종군 문인단을 만든다. 이때 붙인 이름이 문총구국대였다.

대원은 이들 외에 박목월 · 구상 · 김윤성 · 박화목 · 서정태 시인과, 조흔파 · 김송 · 박용구 작가 등이었다. 함께한 대통령 비서 김광섭 시인과 공보처 차장 이헌구 평론가는 공무에 바빠 종군 활동은 못 했다. 가두 방송과 벽보 붙이기만 하던 문총구국대의 본격적인 활동은 정부가 대구로 피난 내려온 7월 16일 이후부터였다.

대구의 문총구국대는 이보다 앞선 7월 5일에 태동했다. 처음 구국대 가입에 관한 논의가 붉어지자 몇몇 시인들은 인민군의 거센 공세에 겁을 먹고 몸을 사렸던 것으로 전해진다. 혹시 세상이 뒤집혀 보복을 받을까 봐 겁내었던 것 같다. 그러다가 가입하지 않는 것도 눈총을 받게 되자, 결성식 당일에야 슬그머니 얼굴을 내밀더라고 한다. 여리고 겁 많은 일부 시인들의 솔직한 속마음이었나 보다. 이런 곡절을 겪고 이효상 대장을 중심으로, 김사엽·이윤수·김진태·최계복·강영기·김영달·조상원·백락종·유기영·이호우·김동사·최해룡·박양균·신동집 등이 연달아 경북구국대에 들었다.

7월 18일 이후엔 피란 온 문인들이 합류하면서 경북구국대는 중앙 본대의 확대 강화 형태를 띠게 된다. 집회 장소는 서문로 영남일보사 건너편 골목의 막걸릿집 '감나무집'이었다. 이 무렵 새로 입대한 피란 문인은 시인 박두진·장만영, 소설가 박계주·박영준·정비석·최태응·장덕조였다. 소설가 최정희·김동리·최인욱은 1·4후퇴 직후 합류하게 된다.

문총구국대원 이름으로 대구에서 발표된 첫 작품은 7월 19일 대구의 일간신문에 실린 시인 김윤성의 「젊은 가슴이여!」란 시와, 8월 14일 김광섭의 「승리의 노래」, 서정주의 「총진격의 노래」였다. 두 가사는 이내 작곡가 이흥렬(李興烈, 1909~1980)의 곡에 붙여져, 필승전의를 돋구는 활력소로 애창되었다. 특히 김광섭이 작사한 "바라보니 삼천리 화려한 강산/천만년을 지켜온 자유의 조국/우렁찬 진군으로 싸워나가는/우리들은 민족의 동맥이로다"라는 경쾌하고 힘찬 노래는 전쟁 기간 내내 애창된 노래 중의 하나였다.

구국대는 8·15의 5주년을 기념 삼아 『전선시첩(戰線詩帖)』이란 제목의 첫 작품집도 냈다. 4×6판 43쪽에 불과한 조잡한 전시판 시첩이었으나 구국의 기개만은 한껏 드높았다. 서정주의 「일선행 차 중에서」 등 두 편, 조지훈의 「맹세」 등 세 편, 박목월의 「시장거리에서」 등 두 편, 구상의 「불덩이를 안고」, 이효상의 「조국」, 이윤수의 「전우」, 이호우의 「지옥도 오히려」, 김윤성의 「젊은 가슴이여!」, 박화목의 「포문 열리다」 등의 시가 실렸다.

정부가 부산으로 떠나자 피란 문인들도 대부분 따라 내려갔다. 이후 향토 문인 중심의 경북문총구국대가 종군과 선무 공작을 도맡게 된다. 이때 대구에 남아 종군 활동을 가장 많이 한 대원이 조지훈 시인이었다. 그러나 처자식은 물론, 아버지 조헌영 의원조차 서울에 남겨놓고(뒤에 납북) 단신 남하한 그는 하나밖에 없는 고교생 아우마저 귀향길에 인민군 패잔병으로 오인받아 즉결 처분된, 기막히는 가족 수난사를 지닌 비운의 시인이었다.

"아버지가 안 계시다 죽을까 염려하던 자식은 살아왔는데//원수가 돌려준 아버지 세간/안경과 면도만이 돌아와 있다.//어머니는 아직/짓밟힌 고향에서 소식이 없다.//서른을 넘어서 비로소 깨달은/내 육친에의 사랑이 아랑곳없음이여". 그가 수복 직후에 쓴 시의 한 구절은 차라리 속으로 우는 피울음이었다.

작가 최정희의 대구 피란 시절

　　여류작가 최정희(崔貞熙)는 대구에서 피란살이
를 했다. 1·4후퇴 때 대구로 피란을 온 그녀는 2년 안팎에 이사
를 네 번이나 했을 정도로 힘겨운 셋방살이를 했다. 이사라 할
것도 없이, 이불 봇짐과 보퉁이 몇 개를 들고 어린 딸들과 함께
단칸 셋집으로 옮겨 다녔을 뿐이다. 그러다가 이따금 마음 따뜻
한 이웃을 만나는가 하면, 기분 상케 하는 심성 나쁜 사람들과
마주치기도 했다.

　　그녀는 수필에서 그 무렵 대구에는 '4대 명물'이 있었다고 회
상했다. 그 첫 명물로, 대구에 와서 제일 처음 느낀 것이 사람, 똥
이 많은 것이었다고 한다. "어디로 가든지 똥이고, 길에도 똥이
고, 수채에도 똥"이더란 것이다. 이승만 대통령이 외국인 보기
부끄럽다며 오물 청소에 경주하라는 특별 담화를 내어놓았을 만
큼, 길거리에 마구 버려진 인분으로 인해 최정희가 받은 충격은
컸던 모양이다. 왜 이렇게 더럽냐고 대구 사람들에게 물었더니,

피란민들 때문이며, 피란민들이 밀려오기 전에는 이렇지 않았다고 항변하더란다. 이 때문에 그녀는 "처음 와선 된장찌개를 먹어낼 수 없으리만치 똥에 질렸다"고 회상했다.

두 번째 명물은 먼지였다고 한다. 질주하는 군용차들로 "흙바람이 심한 날처럼 눈을 뜰 수 없을 정도로 먼지가 일었다"고 했다. 사실 이 무렵 중앙로 등 옛 4대문 안의 도심지 거리만 아스팔트였을 뿐 나머지 거리는 거의 비포장도로였다. 이런 도로를 트럭과 스리쿼터, 지프차가 쉴 새 없이 달리는 후방 제일의 병참도시 대구였던 만큼, "숨 막히고 병이 생길 정도"로 먼지투성이였음은 너무나 당연했다.

세 번째 명물을 그녀는 '자(子)야'로 들었다. "이 집에도 '자야', 저 집에도 '자야', 옆집에도 '자야', 뒷집에도 '자야'였다"는 것이다. 열 살 내외의 계집애들 이름이 거의 '숙자'나 '영자', 혹은 '순자' 등 순 일본식 이름인 데다, 영남 사람들은 애들의 이름을 부를 때 끝 자만 부르길 좋아해, 아무 집에서나 '자야' 하고 부르니 '자야' 천지가 될 수밖에 없었다는 분석이다.

네 번째 명물로, 대구엔 집집마다 감나무가 많은 것이라 했다. 한 집에 두서너 그루가 있기 보통인 감나무로 여름에는 싱싱 푸른 잎으로 시원해서 좋고, 가을하늘 아래 불그레한 열매를 달고 서 있어 오붓한 정감을 느끼게 해서 좋았단다. 그러므로 최정희는 "좋은 것 하나가 덜 좋은 것 여럿의 메스꺼움을 덜 수 있다는

대구 피란 시절 문인극에 출연한
최정희(가운데)과 전숙희(오른쪽)

사실을 감나무를 통해 배웠
다"라고 했다.

그러나 대구는 최정희로선
애틋한 추억이 서린 고장이었
다. 스물한 살 때인 1930년 영
화감독이던 경북 선산 출신
첫 남편 김유영(金幽影)과 도
쿄에서 결혼한 그녀는 신혼살
림의 한때를 대구 시집에서

보낸 적 있었기 때문이다. 이후 그녀는 '제2차 카프 사건'으로 남
편과 함께 옥고를 치른 직후, 이혼에 이어 사별의 아픔까지 겪으
면서 대구와는 인연을 끝내는 듯했다. 그러나 그녀의 큰여동생
이 해방 전 대구 사람 이갑기(李甲基, 1908~?, 월북 작가)와 결혼함
으로써 다시금 간접의 연을 이어온 터였다.

훗날 대를 이어 작가가 되는 두 딸 김지원과 김채원을 대구수창
국민학교에 입학시킨 최정희는 장덕조, 최인욱, 구상 등 종군작가
단 소속 문인들의 우정에 힘입어 피란살이의 설움을 그런대로 잘
달래갔다. 휴전이 되지 않았다면 이들 정다운 글벗들과 오래도록
눌러 살았을 정도로 대구와는 끈끈한 정을 쌓아가고 있었다. 이
무렵 갓 출간된 백기만의 저서 『상화와 고월』이 호평 속에 읽히자,
두 시인의 호를 딴 '상고(尙古)예술학원'이 남산동에서 문을 열게
되었다. 교무처장인 소설가 최인욱의 권유로 조지훈, 박영준, 박

기준, 구상 등 문인들과 함께 최정
희도 이때 문학강좌를 맡았다. 잘
됐으면 '문예대학'으로 클 뻔했으
나, 휴전 후 최정희를 비롯한 피란
문인들의 대부분이 환도하는 바람
에 불발에 그치고 말았다.

이상화와 이장희를 기리는
백기만의 저서

국민방위군 사건의 마지막 장면들

1951년 7월 5일, 대구 동인동에 있는 육군 제5군단 사령부 강당에선 6·25 이래 최대의 방청인들을 모은 공개 군사재판이 열렸다. 국방경비법 등을 위반한 국민방위군 수뇌부들에 대한 중앙고등군사재판이었다. 재판정은 본래 동인국민학교의 강당이었다. 전시하의 징발법에 따라 제5군단이 쓰고 있던 이 강당은 불과 석 달 전만 해도 국민방위군 사령부가 쓰던 곳이었다. 자신들이 쓰던 강당에서 계급장도 없는 군복을 입고, 방청인들의 분노 어린 시선을 받으며 고개를 떨어트리고 있는 11명의 사내들. 바로 세상을 떠들썩하게 한 국민방위군 사건의 피고들이었다.

이후 14일 동안 이어진 사실심리 끝에 7월 19일, 단기형 피고 일부를 제외한 방위군 사령관 김윤근 준장, 부사령관 윤익헌 대령, 재무실장 강석한 중령, 보급과장 박기환 중령, 조달과장 박창원 소령 등 5명에게 사형이 언도되었다. 판결에서 드러난 이들의 죄명은 정부 재산 부정 처분, 공급 약 25억 원의 횡령, 군량미 1,887가마의 부정 유용 및 부정 처분, 문서 위조, 정치 간여, 근무 태만, 국방경비법 및 비상조치령 위반 등이었다.

이들은 국고금과 물자를 부정 처분하여 사복을 채운 결과, 예하 장정들에 대한 식량, 피복 기타 보급을 극도로 열악하게 만들어 방위병 천수백 명을 기아와 추위로 죽게 했을 뿐만 아니라, 다수의 병자들을 발생시켰던 것이다. 이로 인해 제2차 후퇴 시기에 병력 자원을 확보한다며 50년 12월 21일 공포 시행된 국민방위군 설치법에 따라 소집된 전국의 50만여 방위 장정 중 살아남은 장정들도 80%는 노동력 불능, 20%는 생명 유지 불능이란 전문가의 판정이 날 정도로 충격적인 피해를 낳고 말았다.

사실 이 사건이 국회에서 야당 의원에 의해 폭로될 무렵인 51년 초, 후방도시 대구와 부산에는 굶주리고 병든 거지 차림의 장정 수만 명이 유리걸식을 하고 다녔다. 조사 결과 이들은 상관이 병졸들의 먹을 것, 입을 것을 잘라먹는 바람에 영양실조와 동상으로 거지 신세가 되어 구걸로 연명하는 제2국민병인 방위 장정들이었다. 국민방위군이 돼야 했던 17세 이상 40세 미만의 장정 중, 특히 경기·강원·충청 지역 출신자 등, 지닌 돈이 없고, 가족들의 도움을 받기 힘든, 먼 곳에서 끌려온 장정일수록 행색은 더욱 비참했다.

결국 정부는 신성모 대신 이기붕으로 국방장관을 경질하는 한편, 관련 방위군 수뇌자들을 전원 군사재판에 회부했고, 민심 수

국민방위군 사건의 마지막 장면들

습을 위해 5명에게 법정 최고형을 내린 셈이었다. 이에 앞서 4월 30일에는 국회에서 '국민방위군 폐지에 관한 법률'이 가결되어 방위군 자체가 해산되었다. 그럼에도 국민들의 의혹과 공분이 가라앉지 않자 언도 25일 만인 8월 13일 서둘러 사형 집행을 하게 되며, 언론·문화계 인사들과 일반에게도 달성군 월배면 골짜기에서 있은 총살 집행 과정을 공개했다. 소설가 최정희도 이 개탄스럽고 참담한 장면을 직접 목격하고 뒷날 신문과 수필집에 기록을 남겼다. "우리가 올라가니까 그들은 산기슭에 앉아 있었다. …헌병이 한 사람씩 맡아가지고 땀을 씻어주며 지키고 있었다. …헌병이 물을 떠다 먹였다. 담배도 주었다. 빨아 당겼다. 뿜는 연기가 햇살을 받으며 하늘로 퍼져나갔다. …군목의 설교가 있었다. 설교가 끝난 뒤엔 세례를 주었다. 그들은 말뚝에 동쳐 묶인 채로 묵묵히 세례를 받았다. …집행관이 또 뭐라고 말하고 나서, 총을 들어 신호를 했다. 대기했던 헌병들이 기계같이 움직였다. '패앵', 자못 요란한 소리가 충천했다. …붉은 피가 쏟아져 흘렀다. 나는 하늘이 아찔해져서 땅에 주저앉았다. …그들은 다섯 개의 나무 관에 하나씩 들어갔다. 관 뚜껑에 '터엉 텅' 박는 은정 소리가 하늘에 닿는 듯 높았다. …모였던 군중이 산에서 내려왔다. '잘 먹고 잘 놀다 잘 죽었다'는 사람도 있었다. '죽음으로 청산했으니 이제 더 말할 것 없어' 하는 사람도 있었다."

전시에 설립된 상고예술학원

　　6·25 이듬해 피란 도시 대구에 설립되었던 국내 최초의 본격적인 예술학원인 상고예술학원(원장 마해송)이 지금까지 단편적으로 알려졌던 규모와는 달리 예술대학교를 설립하고도 남을 쟁쟁한 강사진과, 엄청난 수효의 유력한 발기인들로 구성되어 있었음이 최근 밝혀져 한국 전시문학사 연구자들의 관심을 끌고 있다.

　　상고예술학원이란 1951년 10월 대구에 피란 온 문인, 국문학자, 음악가들이 중심이 되어 본바닥 대구의 향토문화 예술인들과 의기투합, 해방 전 작고한 대구 출신 상화(尚火) 이상화(李相和) 시인과, 고월(古月) 이장희(李章熙) 시인의 아호에서 첫 글자 상고(尚古)를 따, 후학을 양성할 목적으로 설립한 예술전문학원이었다.

　　17년 전 이상화기념사업회가 펴낸 『이상화 문학앨범』 속의 발기인 명부에 따르면, 발기인 총 수는 무려 90명이며, 이 중 약

38%인 34명이 피란 온 문인 예술인이다. 지금까지 단편적으로 알려졌던 것과는 달리, 예상 이상의 숫자도 숫자지만, 당시 우리 문단과 문화예술계를 대표할 정도의 쟁쟁한 면모임이 밝혀져 연구자들의 주목을 끌게 된다.

면면을 살펴보면, 소설가로 박종화 · 김기진 · 김말봉 · 김동리 · 장덕조 · 최정희 · 정비석 · 최상덕 · 최인욱 · 박영준 · 김영수, 시인으로 이은상 · 오상순 · 유치환 · 구상 · 조지훈 · 박목월 · 박두진 · 양명문 · 김달진 · 박귀송 · 박기준 · 이덕진 · 최민순, 국문학자로 양주동 · 이숭녕 · 구자균, 평론가로 최재서, 아동문학가로 마해송, 극작가로 유치진, 연극인으로 이해랑, 수필가로 전숙희, 음악가로 김동진 · 김성태 등이다.

이들 외에, 전쟁 전부터 대구에 살던 56명의 향토 문화예술인 가운데도 시인으로 백기만 · 이효상(뒷날 국회의장) · 이호우 · 이설주 · 이윤수, 학자로 김사엽 · 왕학수, 화가로 서동진 · 박명조, 소설가로 김동사 등과 함께, 최문식(당시 경북도청 과장. 뒷날 국회의장) · 최덕홍(당시 천주교 대구교구장, 대구매일신문 사장) · 이상오(수렵가, 이상화 시인의 막냇동생), 기타 대구의 저명한 언론인, 의사, 교육가, 공직자, 사업가들의 이름이 보인다.

전국적인 명성의 시인, 소설가, 음악, 미술가 학자들이 상고예술학원을 설립하기 위한 발기인에 참여한 것은 후대들에게 "선인의 업적과 민족예술의 전통을 깨우치게 하여 뒷날의 대성이 있게 하고자" 하는 설립 취지에 흔쾌히 동의했기 때문이었다. 전란 중임에도 후학을 양성하자는 취지도 좋았지만 "신문예 초창

기의 거벽이었던 상화와 고월의 정신을 기려, 그 아호를 따, 유업을 추모" 하는 운동에 동참한다는 뜻이 담겨 있었기에 더욱 그러했다.

51년 9월 말, 대구의 '석류나무집'이나 '감나무집'에서 막걸리를 마시며 발기대회를 마친 발기인들은 10월 초 대구의 남산동 향교 북편 길 건너 모퉁이에 있던 또 하나의 단골 술집인 '말대가리집'에 모여 학원장에 아동문학가 마해송을, 교무처장에 소설가 최인욱(崔仁旭)을, 전임교수에 시인 조지훈 · 박기준(朴琦俊) · 구상, 소설가 박영준(朴榮濬) · 최정희를 잠정 결정하고, 나머지 시간이 없어 바쁜 문인들은 초빙교수로 참여시키기로 했다.

아울러 교사를 물색한 결과, 남산동 오르막길에 있는 남산동 657번지의 옛 교남(嶠南)학교 터(뒷날 천지기업, 천미주차장 터)에 자리를 잡았다. 교남학교는 현 대륜(大倫)중고등학교의 전신으로, 이상화 시인이 일제 때 교편을 잡았던 곳이어서 상고학원의 터전으론 여러모로 의미가 배어나는 곳이었다.

형식상 1기에 6개월을 가르치는 단기 강습 학원이었지만 강사진이나 강의 내용, 교과과정은 실기교육과 함께 예술전문대학 수준이었던 것으로 전해진다. 한 학기당 30여 명으로 채워진 학과는 문학, 음악, 미술 세 학과를 두었으나, 초기에는 문학과 중심이었다. 최정희의 회고에 의하면 주로 오후부터 시작된 수업이 저녁에 끝나면 교수(강사)들은 가까운 단골 막걸리집에 모여 피란 생활의 고달픔을 서로 달래며 덕담을 나누다 헤어지기 보통이었다고 한다.

상고예술학원의 설립 의의는 쟁쟁한 강사진과 발기인 면면에도 있었지만 그 설립 시점에 더 있었다. 1951년 가을은 한국전쟁 2차 연도인 데다, 연초에 중공군 6개 군단이 대거 남하, 수도 서울을 뺏은 이래, 9월 이후 유엔군의 추계 공세로 '피의 능선', '단장의 능선' 등지에서 한 치 앞을 장담할 수 없는 격전이 벌어지던 시점이었다. 동시에 휴전회담이 새로운 화두이긴 했으나 부산, 대구를 제외하곤 전국에 비상계엄이 선포되어 있었고, 서남지구를 중심으로 공비 토벌 작전이 벌어져 민심은 오로지 살아남기에 온 신경을 곤두세우고 있을 때였다. 그럼에도 문화예술의 후대를 위해 한 그루 사과나무를 심겠다는 의지로 전시 분위기와는 동떨어진 예술학원을 설립한 그 역발상 정신이 돋보이지 않을 수 없다.

물론 학원이 잘 굴러가면 그 덕에 일거리 없는 문화예술계 강사진들의 생계에도 도움이 될 것이란 이득도 계산에 넣었다고 볼 수 있었다. 그러나 그때만 해도 문화예술은 돈과는 인연이 먼 수익 소외 분야였다. 실제 운영은 처음부터 적자여서, 강사진의 생계에 큰 보탬이 되지 못했고, 얼마쯤 소일거리이거나 모임의 장소 기능이 주일 때가 많았다. 따라서 적자가 예상됐음에도 피란 문인들을 위해 학원 설립 자금을 기꺼이 대준 채 운영에는 일체 간섭하지 않은 향토의 유지 및 피란 경제인들의 지원 정신도 평가받을 일이었다.

국내 최초에, 최강의 강사진, 최다의 발기인을 거느리고 출범했던 상고예술학원은 그러나 2년 반을 채 넘기지 못하고 사실상 폐업의 길에 들어갔다. 가장 큰 원인은 누적된 적자로 버틸 여력이 없는 데다, 휴전회담의 급진전에 따라 서울의 옛집으로 돌아가는 강사들과 수강생들이 속출했기 때문이다. 뒷날 10여 년간 제3의 운영자에 의해 동일한 학원 이름이 존속되다 그마저 간판을 내렸지만, 그것은 최초의 설립 정신과는 전혀 이질적인 일종의 입시학원이었다.

비록 상고예술학원은 단명하였으나 그 설립 정신과 운영 노하우는 휴전 후 서울에서 꽃피웠다. 발기인의 한 사람이었던 극작가 유치진이 60년대 중반 서울 남산 중턱에 세운 서울예술전문학교와, 역시 발기인이었던 김동리·박목월 등이 중심이 되어 설립된 서라벌예술대학(뒷날 중앙대 예술대)도 모두 상고예술학원의 의지나 정신을 모태로 출범했다는 것이 그 시절을 아는 원로 문화예술인들의 공통된 견해이기 때문이다.

이목우 기자의 피란 기록과 언론 일생

1950~60년대 한국 언론계에서 편집기자와 사회부장으로 이름을 떨친 고(故) 이목우(李沐雨, 1919~1973) 전 한국일보 · 경향신문 · 서울신문 편집부 국장은 6 · 25 피란 시절 대구 영남일보 사회부에 소속된 30대 초반의 기자였다. 그는 당시 전시계엄 아래의 두 권력기관이라 할 군과 법원 · 검찰의 출입 기자였던 만큼 전란으로 인한 공포와 굶주림에 허덕이던 대구 피란민들의 실상을 현장감 있게 파악하고 기록할 수 있는 위치에 있었다. 그 결과 자신이 몸담은『영남일보』에 연재하며 인기를 끌었던 '사회단평'들을 추려 1953년도엔『시대풍(時代風)』을, 두 해 뒤엔 취재 대상을 넓히고 보완한『신문기자 사회단평집』을 펴내었다. 기

이목우 기자의 저서
『신문기자 사회단평집』

록으로 남겨진 그 시절의 모습 일부와 그의 언론 일생 이력을 찾아본다.

청산

작부 노릇을 청산하고 공장에 취직한 여자를 만났더니 그 자태와 표정에 희롱을 불허할 건실성(健實性)이 있었다. 첩 노릇으로 치정에 빠진 생활을 박차고, 참회 끝에 가톨릭에 귀의한 한 과부는 고행(苦行)의 경애(境涯)로 몸을 던졌다. 양부인을 하고 있던 여학교 출신의 어떤 여자가 입술을 닦아버리고 떡장사를 시작하였다. 피란 와서 막걸리를 팔고 있는 아주머니가 교편을 잡게 해달라고 하였다. 그 여성은 옛날 경성여자사범을 졸업하였다. 전란 3년에 들어 과거의 고난과 타락에서 탈주하려는 여성이 많음을 본다.

소인(素人) 기생

외풍이 스며드는 하꼬방, 그러한 술집에도 안방이 있었다. 들어가 앉아서 탁주와 빈대떡을 먹어보는 중 좌중의 싱거운 친구가 "이 집에는 기생이 없느냐" 해보았더니, 약 10분 후에 한꺼번에 5명의 색시가 나타났다. 그들은 그저 먹어대고 마셔대고 한끝에 권하지도 않는데 노래까지 한바탕 하였다. 화대는 주지 않아도 좋았다. 그 여성들은 시장한 피란민…, 손님과 함께 먹을 수만 있다면 만족이라는, 말하자면 소인(素人, 시로도=초보) 기생군이다.

이혼 판결

요즘 법원 민사부에 가노라면 전쟁 중에도 이혼소송이 쇄도, 산적한 기록이 엿보이는데 옛처럼 남편이 방탕하다는 이유는 별로 없고, 대개가 월북하여 돌아오지 않는 남편은 질색이니 민적(民籍=호적)을 갈아달라는 것~.

상사형(相似形)

"술 한 잔 주이소." 다섯 살 되는 아이가 어미의 치맛자락을 잡고 놓지 아니한다. 어미는 어이가 없다는 얼굴로 약간의 탁주를 따루어 준다. 술을 마시고 난 후, 아이는 엄숙한 태도로 어머니에게 선언한다. "돈은 내일 줄게."

외상객이 느는 어느 술집의 가정 풍경이다.

종군 1년기

…본격적인 종군은 낙동강 전선 때를 제일보로 삼겠으나 당시의 기자 생활은 원시적이고 낭만적이어서 각가지 희비극이 벌어지곤 하였다. …300고지 석적전투에서 등산모와 와이셔츠, 흰 여름양복, 완장을 끼고 나선 것이 화가 되어 낙동강 대안에서 발사하는 적의 직사포탄의 표적이 되었다. 부득이 의복을 벗고, 사루마다(빤즈) 바람으로 10여 리의 산길을 생땀을 흘리면서 도주해오지 않으면 안 되었다. … 그 후, 의성 안동, 영천, 탈환된 서울을 거쳐 평양에 갔다는 것은 잊지 못할 체험이다. 38선을 넘고, 강원, 황해, 평안도의 산악을 돌고 돌아 탈환 직후의 평양에 들어갔을 때 비로소 눈물을 흘렸다. …나는 종군을 함에 있어 총

기 등을 들어본 적이 없다. 나는 수첩과 연필뿐, 만약 적의 포탄에 쓰러질지언정 신문기자로서의 죽음을 원하는 까닭이었다. 나는 앞으로도 연필과 수첩을 내 자신으로서의 가장 큰 무기로 삼겠다….

① 평양 입성

UN군의 기계화 부대가 강 너머 보이는 시내를 망시(望視)하면서 집결되었고, 아(我) 후속 부대도 다른 방면에서 속속 들어오고 있었다. 장병들은 고색이 창연한 대동문을 쳐다보면서 "드디어 평양에 왔다"고 하면서 누구에게라도 덮어놓고 악수를 하자고 하였다.

② 진격로

한 조각의 감자를 손에 쥐고 절명한 지 오래인 민간인의 시체가 있다. 한 개의 궐련을 입에 문 채 쓰러져 있는 괴뢰군 병사의 시체도 있다. 시체가 이어진 산협의 길, 인간의 육체가 썩어가는 냄새를 헤치고 우리 보병부대는 묵묵히 북으로 진군하였다.

이목우의 생애와 신문사 유전(流轉)

1973년 4월 22일 향년 54세로, 한창 일할 나이에 위암으로 부인과 1남 3녀의 가족을 남기고 타계한 이목우 부국장은 작고 3일 전, 천주교에 귀의한 바 있었다고 한다. 이보다 2년 전인 1971년 3월 25일, 그는 기자 생활 25주년을 기념해 스스로 적은 「이목우 신상기록」(한국기자협회보 73년 4월 27일자 제280호에 재록)을 통해 기자가 되기 전까지의 가난과 파란만장한 삶의 기록을 남겨, 그를 따르던 언론계 후배들의 심금을 울린 바 있었다.

이목우의 자필 신상기록

1919년 기미(己未)생. 가야산 동쪽 비탈 경북 성주군서 출생. 3세에 대구(大邱)로 이주. 호적명은 이태욱(李泰旭). 목우(沐雨)는 펜 네임. [주 : 펜 네임이라 했지만 "바람으로 빗질하고 비로 낯을 씻는다"는 옛말(櫛風沐雨=즐풍목우, 『십팔사략(十八史略)』, 장자(莊子))에서 '목우(沐雨)'란 이름을 차용했던 것으로 보아 중국 고전에도 실력이 깊었던 듯].

학력은 없고, [주 : 대구 수창소학교 중퇴, 가난으로 초등학교도 못 마

한국기자협회보 73년 4월 27일자 제 280호에 실린 2년 전 '자서이력'의 재록

치고 중퇴하는 이목우 학생의 재능을 애석히 여긴 당시 일본인 교장이 졸업식 날 특별히 그를 불러 명예 졸업장을 주었다는 일화가 전해짐.] 이어 해방(8·15) 때까지 운송회사 사환, 기와공장 기능공, 일본 군수공장 선반공, 군청 임시직원(제도사), 동서기, 회사 경리 직원 등, 잡다한 노동에 종사했다. 모내기와 보리갈이 경험도 있다. 이동안 잡다한 서적에 의한 극히 산문적이고 무질서한 방법으로 지식욕을 충족시켜왔다.

해방된 이듬해(1946) 3월, 대구일보사(구 대구시보) 기자로 입사, 남한에서는 보기 드문 반탁(反託) 신문으로 당시 사장에 독립지사 장인환(張仁煥, 6·25 때 피랍) 선생. 그로부터 경향 각지의 방랑적 기자 생활이 시작되었다.

46년 영남일보 사회부장[6·25 때는 종군기자, 낙동강전투에서 평양입성까지 3년간 활동]. 55년 한국일보 사회부 기자로 입사.(아동문학가 마해송(馬海松) 선생의 알선과 장기영(張基榮) 사장의 후의에 의한 것.) 57년 10월, 한때 낙향, 대구일보 편집부 국장. 58년 5월, 조선일보 사회부장. [학력이 없다 해서 부장 내신이 비토된 끝에 당시 천관우(千寬宇) 편집국장의 강요로 겨우 사회부장 발령이 났던 것임.]

59년 10월, 한국일보에 복사(復社), 초대 지방부장. 60년(4·19 때) 민국일보 사회부장. 61년 한국일보에 다시 복사. 또다시 지방부장을 거쳐 사회부장. 61년 말, 서울신문 편집부 국장 겸 사회부장. 62년 경향신문 편집부 국장 겸 사회부장. 63년, 서울신문 수석부국장. 68년 10월, 경향신문 기획위원 겸 편집부 국장 대리·논설위원·출판 국장·제작 총국장. 69년 6월, 한국일보에 다시 복사, 부국장 겸 지방부장. 한국일보에서는 4번째 돌아옴으로써 '전과 4범'이란 칭호가 있다. 이상 25년간 상벌은 없고, 필화로 두 번(미군정 때와 5·16 군사정부 때) 투옥. 전자는 완전 무혐의, 후자는 군법회의에서 기소각하라는 관대한 선고가 내렸음. (당시의 무보수 변호사는 김치열(金致烈) 선생.)

아동문학가 마해송 씨의 이목우 기자 평

"목우는 생래(生來)의 시인이다. 쓰는 글 가운데도 려(麗)가 유(流)하고, 엉뚱한 웃음 가운데도 신란한 풍자, 정의의 화살이 약동한다."(『시사단평집』에 실린 추천사)

한국일보 후배 김성우(金聖佑) 전 사장의 평

…그는 초등학교 졸업의 학력밖에 없었으나 스스로 "인생의 사회부장"이라 칭하기를 좋아하던 천성의 사회부 기자였고, 격식이 없이 자유분방하던 "최후의 로맨티스트"였다. …이 이목우 기자는 신문에 미친 사람이었다. 신문밖에 모르는 사람 같았다. 앉으나 서나 신문 이야기였다. 신문기자라는 자기 세계에 스스로 충만한 사람이었다. 견습기자인 내게 이 선배가 가르쳐 준 것은 무슨 취재 요령이나 기사 작성법 같은 것보다는 신문에 대한 열정이었다. 그 신문열(Newspaper fever)을 내게 전도했다.

신문 초년생인 나는 신문이란 미칠 만한 것이고, 또 신문기자는 신문에 미쳐야 한다는 것을 그에게서 배웠다. 신문기자가 될 사람이 이 이상 더 배울 것이 무엇이 있겠는가. 신문이 미칠 만한 것이라면 인생을 걸 수 있는 것이다.

견습 기간이 끝나고 정식 사원으로 각 부에 배치될 때 이목우

기자가 "장차 편집국장이 되려거든 편집부로 가라"고 단호하게 강권했다. 편집부는 내근이어서 모두 기피하고 있을 때였다. 나는 두 말 않고 편집부를 지원했다. 뒷날 나는 이 권고에 얼마나 감사했는지 모른다." (김성우 저, 『신문기자의 길』에서)

제5부

■

혼돈 속에 자아 찾기 몸부림

착근기의 대구 출판인들

출판계에선 대구를 한국 출판계의 '샘터'라 부르는 데 주저하지 않는다. 학원사, 동아출판사, 계몽사, 현암사, 교학사, 사조사, 금성출판사 등 국내 굴지의 출판사들이 모두 대구에서 둥지를 틀어 성장했기 때문이다. 이들 중 학원사와 동아출판사, 계몽사, 현암사는 해방 직후 출판의 요람기에 닻을 올려, 한때 한국 출판계의 등대 역할을 했기에 더욱 그렇다.

학원사의 고 김익달(金益達, 1916~1985) 초대 사장과 전 동아출판사의 김상문(金相文, 1915~2011) 창업 사장은 대구 해성초등학교 동기동창이다. 또 계몽사의 고 김원대(金源大, 1921~2000) 사장과 김익달 사장은 해방 직후 대구역 앞 중앙로 입구에서 반년 넘게 노점 책방을 나란히 하며 사업 밑천을 장만했던 특이한 인연을 갖고 있다. 그러므로 출판 원로들인 이 3김씨들의 인연과 공적을 외면하곤 대구의 출판계는 물론 한국 출판계의 요람기와 착근기를 이해하기 쉽지 않다.

해방 전 황해도 해주에서 낙동서관이란 서점을 경영한 바 있던 김익달은 해방 후 출판업에 뜻을 두고 대구로 귀향했으나 사업 자금이 달렸다. 길가에서 노점 책방을 하며 밑천을 마련하던 중, 유행가 가사를 찾는 고객이 많음에 착안, 프린트로 된『걸작유행가요집』을 내면서 출판업에 발을 들여놓게 된다. 그의 가요집은 다른 사람들이 내놓은 유사품과는 달리, 가사 옆에 삽화를 그려 넣은 것이 특징이었다. 이 차별화한 가요집이 히트를 쳐, 1부에 이어, 2부, 3부까지 내놓아야 할 정도로 인기를 끌었다.

여기서 번 돈으로 옛 서점 이름에서 딴 낙동서관이란 출판사 상호 아래,『시조백선』『중등지리』『중등작문학습서』『수학강의』 등을 출판하는 족족 히트를 쳤다. 1947년 서울로 진출해 대양출판사를 열었지만, 6 · 25 피난 시절 대구에서『학원』잡지를 발행한 이후 출판계에서 그의 능력이 유감없이 발휘되기 시작했다.

해방 전후 대구에서 등사판으로 시작한 김상문의 출판 역사는 친구인 김익달과 맞수로 경쟁하면서 사세를 키워갔다. 등사판으로 된 초등학교 국어책을 납품해서 든든한 출판 자본을 마련했던 그는 46년 한 해 동안『초등상식』『상식문답집』『국어셈본실력문제집』등의 베스트셀러를 연달아 내며 기반을 다졌다. 그러나 그 역시 서울 진출 직후 6 · 25로 큰 손실을 입고 수복 후에야 동아출판사로 재출발,『중학입시예상집』으로 큰돈을 벌고, 한때 '출판 황제'란 소리까지 듣게 된다.

노점에서 책과 신문을 팔아 6만 원의 사업 밑천을 마련한 김원대는 1946년 대구 포정동에 계몽사란 서점을 내면서 출판과 인연을 쌓는다. 이듬해 출판사 등록을 겸한 그는 47년 이설주(李雪舟, 1908~2001) 시인의 시집 『방랑기』를 처음 발행했다. 그렇지만 그의 진가는 무엇보다 오랜 서점 경영에서 얻은 판매 노하우에서 발휘되었다. 전쟁 후 아동도서 전문 출판사로 방향을 잡으면서 그만의 독특한 판매조직을 통해 사세를 비약적으로 발전시켰던 것이다.

조상원(趙相元, 1913~2000) 사장은 해방되던 연말에 『건국공론』이란 월간잡지를 발행하면서 출판업과 인연을 맺는다. 주간신문 『민론(民論)』도 함께 발행하던 그는 6·25 피란 시절부터 자신의 호가 된 현암사(玄岩社)를 차려 『법전』 등 법률서적을 기반으로 출판업계에 두각을 나타낸다. 김익달, 김원기, 조상원은 고인이 되었고, 김상문(1915~2011)은 피와 땀이 어린 회사를 남의 손에 넘겼다.

창업보다 수성이 어렵고, 수성보다 대물림이 더 어려운 게 기업, 특히 출판계의 실상이다. 또 문화사업이란 어차피 금전보다 '문화'를 남기고 가는 사업일 바에야, 다 털고 빈손으로 간들 부끄러움도, 흉도 아니다. 그런 점에서 '출판 황제' 김상문이 미수(米壽)에 펴낸 『빈손으로 와서 빈손으로 간다』는 자서전은 출판업계의 진솔한 고백 같아 한결 돋보인다.

청마와 그의 시, 「대구에서」

청마(靑馬) 유치환(柳致環, 1908~1967) 시인이 대구와 깊은 연을 맺은 것은 1954년 봄, 경북대학교 문리과대학 국문과 전임강사가 되면서였다. 같은 해에 이 학교의 영문과 전임강사를 함께 시작한 인연으로 김종길(金宗吉, 1926~2017) 시인과는 열여덟의 나이 차에도 불구하고 향촌동 시절의 막역한 술벗이 된다.

그렇지만 해방 직후 통영여중 교사로 있던 청마가 대구와 처음 인연을 맺기는 1946년 가을이었다. 향토 시인 이윤수의 회고기에 따르면 이해 9월 12일 시집(『생명의 서』) 출판일로 상경하던 도중 잠시 들른 뒤, 11월 27일에는 작심하고 대구를 찾아와, 죽순시인구락부 동인들과 며칠을 보냈다. 이때 동인들의 간청으로 주석에서 낭송한 자작시가 "내 죽으면 한 개 바위가 되리라"는 그의 대표작의 하나인 「바위」였다.

"전신의 힘을 다해 목줄기에 핏대를 새워가며 저음으로 또박또박 암송" 하는 청마의 자작시 낭송에 좌중은 "전무후무한 감동을 맛보았다"고 한다. 아울러 그의 출현으로 대구의 시인들도 더욱 창작욕에 불탔을 뿐 아니라, 청마와의 더 잦은 모임을 기대한다. 이런 바람은 뒷날 청마가 대구와 경북의 교직에 종사하면서 실현되지만 그런 가능성을 암시하듯 이날의 두 번째 걸음에서부터 그는 벌써 대구를 소재로 한 시 한 편을 대구의 일간신문에 발표한다. 「대구에서」란 시였다.

"동지 가까운 경북 대구의 거리는 흐리어/사람마다 추운 날개를 가졌다/일찍이 나의 아버님께선 해마다/고향의 앞바다 빛깔이 유난히 짙어/차갑게 빛날 때면/밤일수록 슬피 우는/윤선을 타고/나의 알 수 없는 먼먼 영(鄕)으로 가시고/ …(중략)… /내 오늘 장사치모양 여기에 와서/먼 팔공산맥이 추녀 끝에 다다른 저 잣가/술집 가겟방에 앉아/요원한 인생의 윤회를 적막히 느끼었노라."

모두 17연으로 된 이 시는 춥고 낯선 대구의 한 술집 가겟방에 앉아, 한약방을 하던 그의 아버지가 약재를 구하기 위해 대구 약령시를 찾아 떠나던 어린 시절을 회상하며, 부친에 이어 자신에까지 이어지는 대구와의 묘한 인연을 담담히 노래한 내용이다.

'요원한 인생의 윤회'는 이 시를 발표한 8년 뒤에 현실화되었다. 54년도의 경북대 전임강사 시절과, 1955년 1월부터 1962년 봄까지의 경주에서의 고교 교장 시절, 그리고 다시 1년 3개월간의 대구여고 교장 시절을 통해 청마의 호탕한 웃음소리는 이 시절 대구의 이름난 주점거리인 향촌동을 떠나지 않았다. 동갑인 이설주(李雪舟), 박기원(朴起遠) 시인과 대작을 하거나, 당시 대구 매일신문의 문화부장이던 이근우(李根雨)와, 그리고 조카나 아들

뺄인 김종길, 허만하(許萬夏) 시인 등을 주붕(酒朋)으로 삼아 '사회적 관습이나 금기를 깨고' 대범하면서도 소탈하게 잔을 들던 청마였다.

같은 통영 출신으로 대구에서 오래 후학을 가르친 김춘수(金春洙, 1922~2004) 시인은 해방 직후 청마와 첫 대면을 하자 마당에 넙죽 엎드려 큰절부터 했다고 술회한 바 있다. "내가 큰절을 한 것은 인간 유치환이나 시인 청마에 대한 외경심에 앞서, 바로 청마의 '시'에 대한 존경의 염(念)이었던 것 같다"는 술회였다. '시'를 향해 큰절을 할 만한 큰 그릇이었기에 김춘수 역시 큰 시인으로 불리게 될 수 있었는지 모른다. 만주 시절의 한두 시편과, 친일단체 협화회(協和會) 가입 여부에 관한 진위 논란이 없지 않음에도 청마와 그의 시가 오래도록 많은 사람들의 우러름과 사랑을 받아온 의미를 새삼 되새기고 싶어진다.

대구 향촌동 전성시대

지금은 초라하고 쓸쓸한 거리로 변했지만 대구의 술 문화는 한때 중구 향촌동(香村洞)이 지배했다. 1950년대 중반부터 60년대 후반에 이르는 10여 년 남짓한 이 기간은 가히 향촌동의 전성시대라 할 만했다. 크고 작은 각종 요리점은 물론, 수많은 막걸릿집, 곱창 소줏집, 정종 대폿집, 맥주집, 위스키 시음장, 스탠드바 등이 전후 미국 원조 시대의 인플레 경기를 타고 남한 제일의 문화도시이자 군사도시가 된 대구의 밤을 흥청하게 만들고 있었다.

향촌동이 대구의 대표적 주점거리가 된 것은 탁월한 입지의 덕이었다. 무라카미초(村上町)로 불리던 일제 때부터 이곳이 식당 밀집 지역이 될 수 있었던 까닭도 번화가와 인접해 있었기 때문이다. 북성로, 서문로, 중앙로, 포정동을 낀 주변엔 우선 관공서가 많았다. 도청을 비롯해 경찰서, 세무서, 병사구 사령부(병무청), 은행, 우체국, 시장, 역, 극장, 공회당, 양품점들이 반경 500

여 미터 내에 즐비했다. 이곳에 근무하는 직원들과 방문객들의 식사나 퇴근 후 한잔을 위해선 향촌동만 한 골목도 없었던 까닭 이다.

그렇다고 향촌동은 관공서 브로커나 '술상무'들의 은밀한 숙 덕공론의 장만이 아니었다. 피란 문인들과 향토의 문화예술인들 이 전쟁의 후유증을 앓으며 실향과 이산의 아픔을 한잔의 술로 달래야만 했던 곳이기도 했다. 이 때문에 향촌동은 오늘날처럼 주당들의 혼을 빼는 퇴폐와 환락이 춤추는 곳이 아니었을뿐더 러, 입맛대로 골라 먹는 질펀한 먹자골목도 아니었다. 더러 고급 방석집도 없진 않았지만, 대부분 10여 평 남짓한 기차 화물칸 같 은 실내의 딱딱한 나무의자에 걸터앉아, 대폿잔을 들이키며 전 후의 정치·사회적 피폐상과 허무감에 대해 울분을 토하는 곳일 경우가 더 많았다.

지하 '녹향음악감상실'에서 브람스나 베토벤에 취해 있던 예 술인들과 그 지망생들이 해가 지면 기어 나와, 허기진 예술에의 꿈을 한 잔의 술로 달래던 곳 역시 향촌동이었다. 광복군 출신 예비역 준장 장호강(張虎崗, 1916~2009) 시인은 57년부터 두 해 동 안 경북지구 병사구 사령관으로 있으면서 향촌동에 살다시피 했 다. 58년 2월 22일자 『대구매일신문』에 그는 「향촌동」이란 산문 시를 실었는데, 군데군데에 그의 단골 술집 이름을 넣어 흥미를 끌었다. "… 이태백과 울고 간 달이 돌아와 멋을 더하면 '보래로' 를 지나 동구로 들어가 보라. 잔잔한 '호수'가에 '갈매기' 떼 지어

날고, 푸른 두던에 '백록'이 뛸 때, '장미'꽃은 향 내워 반겨주리라. 거기 요조한 선녀들 황홀한 '금관'을 쓰고, '금붕어' 드레스로 '황금마차'를 휘몰아 우거진 '송죽' 사이로 풍류길손을 맞아준다면 구태여 겸양하지도 못할 것. 관광의 행렬이 '파리'와 '와싱톤'과 '모나코'에서 십자형 광장으로 닿았는데…".

1958년 7월 15일 장호강 시인은 국방대학교 입교를 위해 대구를 떠났다. 그는 다시금 「이별의 잔을 들어」(부제 '대구를 떠나며')란 시로 향촌동과의 작별을 아쉬워했다. "낙동강은 하냥 남으로 흐르는데/내사 바람 따라 북으로 떠나야 하느니/인간의 무상함이 새삼스럽지 않다 해도/호올로 몸은 가도/사랑은 여기 남아 있는데/이 거리 골목마다 나의 노래는 깔려 있는데.//흙냄새 풍기는 구수한 사투리/흰 박꽃처럼 피어 있는 인정/나를 아껴주는 벗/진정 사랑하는 이들의/비슬산과 금호강처럼 아름다운 이름은 아닐지라도/달구벌의 추억과 더불어 영 영 잊을 수 없는 모습…"

한때 대구 주당들의 정신적 고향이었고, 전후 유흥 경기의 진원지였으며, 대구 제일의 '거나한 소비'와 인파가 몰리는 골목의 하나여서, 양조회사들 사이에 사활을 건 격전장이기도 했던 향촌동. 그러나 이제는 찾는 이 드문 노쇠한 배우처럼 쓸쓸히 황혼길을 걷고 있는 향촌동을 보노라면 세월의 무상함과 더불어, 가버린 옛 주당들의 얼굴이 몹시 그리워진다.

박정희와 대구의 묵은 인연

동대구 개발사업이 본궤도에 오르던 1966년도 후반 어느 날, 태종학(太鍾鶴, 1922~1997) 대구시장이 대구를 방문한 박정희 대통령에게 사업 진행 상황을 브리핑할 때였다. 태 시장이 "현재의 대구 중심도로인 중앙통으로는…" 하고, 설명해 나가는 순간, 박 대통령이 "중앙통…?" 하고 잠시 머리를 갸웃해 보였다. 중앙로의 옛 이름인 중앙통(中央通, 일제 때의 주오도리)이란 말에 '박통'이 귀 설어 하고 있음을 눈치챈 태 시장은 얼른 부연설명을 했다. "예, 옛날의 그 12간(間)도로 말입니다." 그러자 '박통'은 옛 기억이 되살아나는 듯, 환한 얼굴로 고개를 끄덕였다. 이후 태 시장의 브리핑은 일사천리로 진행되었다.

일제 때 "성내에 그렇게 넓은 도로가 생겼다니 참말이냐?"라며, 대구 인근의 촌로들이 주먹밥을 싸 들고 구경을 오던 12간도로(약 22미터)는 사실 박정희가 대구사범 시절 5년 동안(1932~1937) 귀향길에, 혹은 휴일이면 곧잘 학우들과 거닐던 거리였다. 비록 톨스토이를 읽기보다 나폴레옹에 더 심취했고, 학업 석차보다 교련 모범생 소리를 듣기 더 좋아했을망정, 평생의 처세훈을 닦게 해준 학창 시절의 대구를 그가 잊을 리 없다. 해방 이듬해 봄, 스물아홉의 나이에 귀국한 패전 일본군(만주군) 중위였던 그가 학교 동창들과 군대 선후배들의 권유로 다시 군문에 들기로 최종 작심한 곳도 대구였다. 얼마 뒤 '숙군의 악몽'도 겪었으나, 6·25를 계기로 명예회복의 기회까지 잡은 곳 역시 대구였다.

동인동에 있던 육군본부(현 한은지점 자리)의 중요 정보참모로 근무하던 박정희 중령은 무엇보다 생애 최대의 경사를 거듭 대구에서 맞는다. 1950년 12월 12일, 옥천 처녀 육영수와 치른 대구 계산성당에서의 결혼식에 이어, 52년 2월 2일에는 삼덕동 신혼집에서 첫딸 근혜를 얻어, 범부로서의 행복감도 한껏 누렸던

70년대 대구 중앙로

것이다.

그러나 이후부터 대구는 그로선 묵혀온 야망을 실현시키려 애 써어진 고장이 되었다. 선배 장성들과 더불어 이승만 정권을 전 복하려다 좌절돼 도미포병 교육생의 일원으로 황망히 동촌비행 장을 떠나던 대령 때만 해도 그의 그런 야망은 과대망상처럼 보 였다. 하지만 6년 뒤, 별 둘을 달고 2군 부사령관이 되어 대구로 좌천돼 왔을 때는 놀랍게도 이미 '5·16 등정'의 8부 능선에 올 라 있었다.

대구의 이름난 요정에서 후배 군인들과 공공연히 '작당모의' 했음에도 무사할 수 있었던 것은 집권 민주당 정권의 허술한 감 시 못지않게, 대구가 그에게 준 푸근하고 넉넉한 향정(鄕情) 덕이 었는지 모른다. 고향에서 긴장의 끈을 푼 덕에 거사의 마무리 작 업을 여유 있게 할 수 있었던 까닭이다. 대구는 실로 야망가 박정 희에겐 그 시작과 성장의 터이자, 마무리 실천장이었던 셈이다.

대통령이 되어 초도순시차 대구에 오면 보안이 편리한 수성관 광호텔에 곧잘 머물렀다. 그가 북창을 통해 무량한 감개에 젖으 며, 대구에 대한 적잖은 채무 의식과 함께 내려다보았을 수성 들 판은 이제 대구의 노른자위 터가 되어 있다.

그러나 지나고 보니 포항이나 울산은 물론, 그의 출생지인 구 미와 비교해봐도 '박통'이 대구를 위해 유별나게 배려했다는 증 좌는 찾기 힘들다. 동대구 개발사업도 정부의 보조나 지원자금 에 의존해서라기보다 기채(起債)와 수익자 부담금 원칙에 의해 추진된 점이 더 많았다. 그 결과 체비지가 잘 안 팔려 시정 살림이 한때 휘청거려왔다. 태생적으로 물류 불량의 내륙도시 대구는 그동안 'TK의 본향'이란 겉치레 소문만 요란했을 뿐, 실속도, 명분도 없이 빛바랜 자존심만으로 겨우 버텨왔음을 다른 누구보다 서해안의 'TK 알레르기 세력'부터 좀 알아줬으면 좋겠다.

정겨운 대구의 옛 골목

　　　　　　마을 '광장'에 모여 토론을 즐긴 서구와는 달리, 우리는 일찍부터 '골목'을 이웃 간의 담소와 사교의 장(場)으로 삼아왔다. 골목에서 뛰고 자란 아이들은 어른이 되어서도 골목 대장 시절을 못 잊어 했고, 어른들은 골목의 악소문을 가장 두려워했다.

　영남 제일의 성읍(城邑) 도시로 커온 대구는 정겨운 옛 골목이 유난히 많은 데다 재미있는 이름을 지닌 골목이 많기로도 유명하다. 또 서울처럼 행세하는 대갓집들에 막혀버린 '막다른 골목'이 드물며, 골목과 골목이 사통팔달로 이어져, 성내 어디에도 다다를 수 있는 것이 대구 골목의 특징이다. 남성로의 별칭인 '약전골목'은 왕복 2차선 도로여서 골목이라기보다 '약전거리'란 말이 제격이다. '긴 골목'의 대구식 표현인 '진골목'은 약전골목과 종로가 맞닿는 길의 우측에서 꺾어져 남일동 옛 중앙시네마까지 이르는 길이다. 일제 때 이곳엔 달성 서씨 부자들이, 해방 직후엔 이원만 코오롱그룹 창업주가, 그리고 자유당 시절엔 신도환

대구의 근대화 이전 옛 골목 중 한 곳인 진골목의 70년대 모습

반공청년단장이 중소기업 사장들과 함께 산, 대구의 부유층 동네였다. 이 바람에 10·1사건이나 4·19와 같은 소요 사태라도 나면 몰려온 시위대로 곤욕을 치른 곳이기도 했다.

서성로 1가에는 아예 '돈부자골목'도 있었다. 일제 때 현찰이 많기로 소문난 한 부자가 돈놀이를 하며 큰 집에 살고 있어, 가난한 사람들이 비꼬아서 부른 것이 골목 이름이 되었다. '회나무골목'은 금호호텔 건너편에서 현 희도아파트 서쪽 담까지로, 실연한 기생이 목매 죽은 오래된 회나무가 한 그루 있어, 지어진 이름이었다. 이 골목의 바로 곁골목은 골목 가에 오동나무밭이 있다고 '오동나무골목'이라 불렸다.

남성로 제일예배당 입구에서 종로에 이르는 골목의 끝에는 말이 끄는 방앗간이 있었다고 '말방골목'이 되었다. 또 계산동 매일신문 뒷길은 잘 가꾼 뽕나무가 시선을 끌어 '뽕나무골목'이 되었고, 서문로 2가에서 수동으로 들어가는 네거리까지는 '등기점골목'이라 했다. 등겨를 전문으로 파는 점포가 있었기 때문이다. 금호호텔에서 현 곽외과까지는 '샘밖골목'으로 불렸는데, 호텔 건너편 쪽에 있는 큰 샘의 바깥쪽 골목이라고 그렇게 불렸다. '샘밖골목' 일대는 기생들이 많이 살아 '기생촌'으로도 이름났다.

이 밖에 동성로 제일은행 건너편에서 중앙통까지를 '먹단골목'이라 했다. 골목 어귀에 사는 이름난 노기생의 집 뜰에 검은 목단이 심어져 있어 붙여진 이름이었다. 또 '떡전골목'은 요즘의 북성로 돼지 골목으로, 떡집들이 많아 그렇게 불렸고, 동아쇼핑센터에서 종로까지의 골목에는 개천가에 수양버들이 늘어져 있다고 '줄버들나무골목'으로 명명되었다. 큰 장 인근 귀암서원 옆에는 누룩점이 많아 '누룩전골목'이 되었으며, 동산파출소 오른쪽이자 실 가게 거리 왼쪽 끝은 말을 매어두고 팔기도 하여 '말전골목'으로 불렸다. 그 앞쪽 소시장 거리는 '소전거리'로 불렸고, 현 대구백화점 자리엔 쌀 전문점이 많아 '싸전거리'가 되었다.

동대구와 남구 대명동의 신흥 주택지가 생긴 70년대 이후에는 차량 소통이 불편한 도심의 골목들은 저절로 쇠퇴할 수밖에 없었다. 시청 옆의 헌책방골목, 북성로의 공구골목과 그 이웃의 깡통골목, 교동의 양키골목, 향촌동의 대폿집골목 등이 한 시절 성가를 누렸으나 사양길로 들거나 쇠락한 지 오래이다.

길이 넓어 찾아가기 쉽고 주차장이 잘 갖춰진 수성구 들안길의 화려한 '먹자골목'은 이미 골목이 아니라 '푸드타운'이자, '먹거리마을'로 불릴 지경이다. 여우가 둔갑술을 피웠다 할 만큼 삽시간에 젊은이의 패션 거리로 탈바꿈한 삼덕동의 '야시골목'은 그 감칠맛 나는 작명이 대명동의 옛 '야시골'의 환생인가 싶어 향수를 자아내게 하지만, 유행은 부나비 같은 것, 얼마나 오래갈지 두고 볼 일이다.

수변 풍치가 좋았던 대구

세월이 두어 세대쯤 흐르고 나면 인걸이 간 곳 없음은 물론, 산천 또한 의구할 리 없다. 더구나 근래 30~40년 사이 전 국토가 개발지상주의에 빠지면서 부동산 투기가 만연하는 바람에 옛날의 그 '금잔디동산'이 멀쩡히 남아 있기를 바라는 쪽이 오히려 이상할 정도다.

대구에서 가장 번화한 네거리 중의 하나인 MBC 네거리는 40여 년 전만 해도 큰 못이었다. '골짜기에 둘러싸인 큰 못'이란 뜻에서 이름 또한 '한골못'이었다. 씨알 좋은 붕어들이 곧잘 낚여 낚시꾼들의 발길이 잦던 곳이다. 못의 동남향 소잔등처럼 둥글고 길게 보이는 산등성이는 온통 공동묘지였다. 지금의 시민체육공원이다. 이 산등성이의 2군 사령부 쪽인 양지바른 남향이 유택으론 길지여서인지 무덤이 더 많았다.

계명대학교 대명캠퍼스 일부나, 영남대학병원 일부, 그리고 동대구세무서와 백합맨션 자리는 4~50년 전만 해도 모두 공동

묘지였다. 또 본리공원과 달서구청 일부, 월성초교 자리며, 신천 아파트와 동신아파트 일대도 이승에서 한을 머금은 영혼들이 마지막으로 찾아가는 북망산천이었다. 예부터 불탄 자리와 묘지 자리엔 재물이 잘 인다는 속설이라, 이곳에 둥지를 튼 학교나 관공서, 아파트들도 그동안 재운이나 관운이 따랐는지 모를 일이다.

지금 대구여고가 있는 범어동 240번지 일대는 범어(泛魚)못 자리이다. 또 신천동 송라아파트 일대와, 철길 건너 동신초등학교 남쪽 일대도 송라(松羅)못이 있던 곳이며, 대명동 영선시장 인근은 영선(靈仙)못이 있던 자리다. 영선못은 이웃한 수도산과 어울려 한 폭의 그림 같은 절경이었다. 일제 때 지주이자 독립운동가였던 서창규(徐昌圭)의 개인 소유였던 약 3천여 평에 이르는 이 못의 여름철 연꽃 구경은 볼거리였다. 또 가을엔 서향인 현 대구교대, 남향인 현 외인아파트 일대의 황금물결을 이룬 들판을 내려다보는 것도 장관이었다. 도보로 10여 분 거리인 남산동의 경북여고생들이 곧잘 찾아와, 여고 시절의 추억 만들기에 요긴히 쓰인 곳이기도 했다. 그 영선 못이 쇠락한 저잣거리로 바뀌었을 정도로 세월은 속절없이 흘렀다.

대구 사람들이 정들여 찾는 신천(新川)은 옛날부터 대구 시민의 숨통이었다. 여름철이면 대구 특유의 가마솥더위를 피해 남녀노소 없이 찾는 곳이었다. 가창 댐이 들어서기 전까진 수량이 많아 멱을 감거나 천렵을 하기 알맞았다. 대봉동 용두방천과 신천동 푸른 다리 근처, 산격동 현 도청 앞에는 큰 웅덩이[沼]가 있어, 뱀장어나 가물치도 곧잘 잡혔지만 멱 감던 아이들의 익사가 잦던 곳이기도 했다. 6·25 직후엔 피란민들의 천막과 밥솥으로 덮인 적도 있었고, 휴전 뒤엔 공용 빨래터에다 유해성 헌 옷 염색 장터로 변하면서 옛 정취를 몽땅 잃고 말았다.

금호강 하류인 팔달교(八達橋) 주변의 모래사장은 모래찜질 터로 유명했고, 동화천 주변인 무태마을 역시 초등학생들이 곧잘 가는 원족(소풍) 명소였다. 조금 멀리는 동촌유원지와 가창 냉천골, 앞산 안지랭이골, 화원유원지 또한 대구 사람들이 짐짝 버스에 실려 가면서도 철 따라 곧잘 찾는 납량 놀이터였다. 60년대 후반만 해도 동촌의 금호강 물은 어찌나 맑던지 송사리들이 노니는 모습이 환히 보였는데, 70년대 들어 수상주점과 상류의 공업폐수가 스며들면서 급속히 '죽은 강'으로 변모했다가 최근 간신히 되살아나고 있다.

도시 개발의 희생물은 언제나 만만한 저수지였다. 오늘날 수도권의 신도시 지역에선 일부러 인공호수를 만들지만 한 세대 전의 대구 도시개발 주역들은 손쉬운 저수지부터 메워 택지로 만들었다. 그나마 수성못과 성당못, 달서구의 도원지(桃園池)가 '수변공원'으로 용케 살아남은 것은 도시 외곽에 있는 데다 워낙 덩치가 커서였는지 개발 만능주의자들의 눈독을 피할 수 있었던 덕택이었는지 모른다. 만일 범어못이나 송라못, 감천동의 감생이못, 비산동의 날뫼못의 전부, 혹은 일부나마 호수공원으로 살

오늘날도 남아 있는 수성못(위쪽)과, 지금은 주택지로 바뀐 영선못의 옛 모습(아래쪽)

아남았더라면 오늘의 대구는 지금보다 훨씬 '살고 싶은 도시'가
되었을 것이다. 곳곳에 수변(못)이 지천이던 그 시절의 대구가 그
립다.

김소운 시인이 세운 대구 상화시비

　　　　　　　　지금 국내에는 가장 많은 시비(詩碑)의 주인공
인 청마 유치환 시인을 기리는 총 14개의 시비를 비롯, 모두 200
개가 넘는 시비가 전국 곳곳에 세워져 있다. 청마의 지명도에는
못 미칠지라도 제 고장의 후학들이 그곳 출신 시인들의 업적을
선양하고 기리려는 뜻에서 세운 것들이 대부분이다. 하지만 개
중에는 별 지명도도 없는 이름만의 시력(詩歷=詩力)을 지닌 시인
들이 생전에 동급의 후학들을 부추겨 세웠거나, 사후(死後)에 그
시인의 주변 친지나 지방자치단체들이 제 고장 출신 인사의 업
적을 과장해 외지인이 찾는 지역 명소로 만들려는 의도 아래 억
지다시피 세운 '꼴뚜기 시비'들도 없지 않다.

　　한국 현대문학 사상 최초로 1947년 대구 달성공원에 세워진
'상화(尙火, 본명 李相和)시비'야말로 요즘의 시비 난립 풍조와는
정반대였다. 먼저 그 건립의 공은 오로지 시인이자 수필가인 김
소운(金素雲, 본명 金敎重, 1907~1978)의 정심(淨心)이 바탕된 뚝심의

결과로 가능했었다. 대구와는 특별한 연고가 없는 데다, 당시 부산에 거주하던 부산 태생인 그는 오로지 상화 시인에 대한 '존경의 염' 하나로 혼자서 착상·발의하여, 시작은 무모했으나 점차 구체화되어갔다고 뒷날 회고한다. 이 때문에 부산, 대구, 서울을 밤 열차로 오르내리느라 지쳐 내심 후회도 하는 가운데 생활비의 일부까지 축내가며 시비 건립에 몰두했음을 실토하게 된다.

김소운 시인에게 있어서 상화시비 건립의 동기는 단순했다. 지역 연고나 상화 생전의 친분 관계는 없었지만 상화의 '시' 자체에 마음을 빼앗겼고, 그의 짧은 항일의 생애가 안타깝게 느껴졌음을 부인 못 했다고 한다. 그러나 그것보다 "신시 40년에 (국내에) 시비 하나 못 가진 것도(한국 시단으로선) 초라하려니와, 생전에 불우했던 시인들이 사후에 시비 하나 가졌기로니 과분한 사치로 나무라는 이는 없을 것이다"라는 그 나름의 이유와 명분 때문이었다. 나아가 소운 자신의 17~18세 문학소년 시절 때 "전류처럼 전도되던 시잡지 『백조』의 시대를 회고하고 기념하는 의미로도 상화 시비는 헛되지 않으리라"는 회상에서였다고 건립의 동기를 밝히기도 했다.(수필집 『건망허망』에서)

이런 생각들을 해방 이듬해인 1946년 가을 이윤수 시인 등 대구에 살던 젊은 시인들과의 우연한 상면 자리에서 처음 화제로 삼게 되었고, 1947년 서울 시인들과 다방에서 만나 담소할 때 구체화되는 바람에 그만 그 자신이 총대를 메는 신세가 되었다고 한다. 동석한 서울 시인들은 모두 시비 건립을 찬성하되, 부대조건을 달았다. "어느 단체나 시사(詩社)를 내세우지 말고, 김소운 단독의 일로 생각하시오. 그래야만 뒷말이 없을 게고, 또 그것이 시단 전체에 통하는 첩경일 게요."

그렇게 조언할 만큼 좌우로 갈라져 상쟁하며 헐뜯는 풍조가 만연하던 해방 2~3년 그 무렵의 문학계 풍토이기도 했었다. 이런 부대조건을 다는 그 자리에서 한 시인이 불쑥 노트 한 권을 구해와, "일상에 존경하여 마지않는 이상화 씨를 소운 님이 길이 사랑하고자 단독으로 시비를 세우려 한다. 여기 찬동하는 나는 방관할 수 없음을 깨닫고 운운…" 하는 발기문 비슷한 글을 쓴 뒤, 옆자리 친구에게 천 원을 꾸어서 성금 조로 내놓았다는 것. 그러자 돈을 빌려준 그 친구되는 이도 또 천 원을 내놓으면서 찬의를 표한다며 이름을 적었다는 것이다.

세상 물정에 익숙지 못한 김소운 시인은 당초 시비 건립 공사비를 6만 원쯤 잡았다. 그러나 물가의 폭등 탓도 있었지만 막상 시작하자 10만 원에서 금세 20만 원, 마쳤을 때는 첫 계산의 무려 10배인 60만여 원으로 뛰어올라, 총 지출 비용은 62만 5천 원에 이르렀다. 반면에 들어온 성금은 합쳐야 7만 5천 원에 불과했다. 결국 소운 시인의 가계부에서 55만 원을 더 내놓아야만 했다. 그는 이 출비를 ① 동래를 떠날 때 농작물과 가구 집기를 양도한 대금 중 23만 원. ② 경산군의 이형우 군에게 양도한 서적대 5만 원 중 4만 원. ③ 개판(改版) 『조선구전민요집』 인세 중에서 11만 원. ④ 동지사(同志社)에서 선(先)차입한 고료 중 8만 원으로 메꿀 수밖에 없었다고 한다. 반면에 성금을 기록한 정재록(淨財錄) 명단에 실린 저명인사의 명단과 성금은 다음과 같았다.

- 금 1만 원 = 박종화
- 금 3천 원 = 을유문화사
- 금 2천 원 = 국제출판사, 팔봉 김기진.
- 금 1천 원 = 김을한, 박로아, 윤효중, 김광균, 양병식, 안석주, 김용호.
- 금 5백 원 = 정인섭, 마해송, 김동리, 서정주.
- 금 2백 원 = 이병일.
- 금 1백 원 = 이서구, 김용환, 유치환,
- 휘발유 1드럼(석재 운반용) = 김영보, 조약슬(영남일보사)
- 양회3포대 = 이호우
- 이 밖에 편의와 협조를 베풀어준 대구의 시우(詩友) 박목월, 김달진, 이호우, 김동사.

1948년 3월 4일 오전, 발의 2년 만에 제막식을 가진 국내 처음의 시비는 오석(烏石)으로 된 비석의 전면 상단에 위창(葦滄) 오세창(吳世昌) 선생의 제자(題字)로 '상화시비(尙火詩碑)'라고 쓰인 우람한 자태로 200여 명의 참석객을 맞았다. 시비의 후면에는 김소운 시인이 선(撰)하고 죽농(竹農) 서동균(徐東均)이 서(書)한 글씨로 상화 시인의 이력과 건립 경위가 기록돼 있었다. 아울러 비면에 새겨진 "마돈나 나의 침실로…"란 시구는 상화의 막내 유자이자 당시 열한 살이던 이태희 군이 쓴 비뚤비뚤한 글씨체여서 참석자들에게 뜻밖의 감명을 안겨주었다고 전해진다.

행사가 끝난 며칠 후, 소운 시인은 상화 시인의 미망인으로부터 한 통의 애절한 감사의 편지를 받게 된다. 이 편지 한 통으로 소운 시인이 그동안 애써온 노력과 정성이 적어도 유족들, 특히 미망인에게 얼마만큼 감사와 은혜로움의 시선으로 비

대구 달성공원에 세워진 상화시비

쳤느냐를 주변 사람들도 능히 짐작할 수 있을 만했었다.

…(전략)… 선생님. 정신적으로, 경제적으로, 얼마만 한 괴로움을 받으시며, 천 사람, 만 사람이 능히 하지 못할 일을 경영하사, 기어코 이루어 놓으시니, 시를 쓰신 고인보다 선생님 공적은 무엇이라 형용하야 말씀치 못할 장하신 일입니다. 만일, 고인의 일분 정령이 명명지중에 알음이 있을진대, 지하에서 부끄러운 미소를 띄울 것입니다. …(중략)… 셋날 유자 아직 어리옵고, 가사 한 미하오매 만분의 일로 성의를 받들지 못하옵고, 어지러운 말씀으로 글을 올리오니 자괴하움 이길 수 없사오나, 다만 선생을 공경 감사하여 소회를 다 함이옵니다.

몽매간이라도 잊을 수 없는 선생님, 건강과 항복을 아울러 축

복하오며, 차후로 성식을 종종 듣자오면, 여향일까 하옵고, 이만 주리나이다. 부인에게 각장 못하와 미안하옵니다.

갑진 십칠일.

이태희 모 재배

전화위복이 된 대구매일 테러 사건

1955년 9월 14일 오후 4시 25분, 대구시 태평로에 있던 천주교 대구교구 유지재단 소유인 대구매일신문사[사장, 임화길(林和吉) 신부]의 현관 입구에 시영버스 420호가 급정거했다. 문이 열리자 뒷날 밝혀졌지만 김민(金民, 국민회 경북도본부 총무차장)과 홍영섭(洪永燮, 자유당 경북도 감찰부장) 등, 당시 대구 지역 두 자유당 세도꾼들의 지휘 아래 곤봉과 큰 해머 등을 든 괴한 20여 명이 들이닥쳤다. 늦여름의 대낮임에도 이들 테러단은 거침없이 고함과 욕설을 퍼부어대며 신문사 공무국의 문선 케이스를 비롯, 인쇄 기자재, 공장 내부시설, 사무실 내 봉신시설까지 닥치는 대로 파괴하거나 탈취하기 시작했다.

말리던 직원들을 곤봉과 주먹으로 구타하는 한편, 발송 준비 중인 당일자 신문 뭉치도 다량 탈취했다. 괴한 일부는 2층 사무실과 사장실을 다니며 전화기를 부수고 기물을 파괴하는 등 난동을 부렸다. 그 과정에서 이들은 직원 9명에게 안면 파열상과 타박상을 입히기도 했다. 이어 신문 인쇄기와 발동기 파괴, 절단기 탈취, 활자·활자판 파괴, 당일 신문 약 2천 부 탈취, 전화기 3대 파괴 및 탈취, 신문 용지 천 장가량, 회사 간판, 신문 발송 대장을 탈취해 가는 등, 신문 제작 시설과 기자재 전반을 쑥대밭으로 만든 뒤, 타고 온 버스에 올라 유유히 사라졌다.

당시 신문의 월정 구독료가 300환, 가판에서 판매하는 한 부 값이 20환 하던 시절이라 금액으로 환산하면 약 200만 환의 물질적 피해를 입혔다. 하지만 그보다 지방의 작은 일간신문사에게 일주일 가까이 신문의 정상 발간을 못 하게 만든 직간접 피해와 함께, 회사와 소속 직원들에게 끼친 분노감, 회사 존립 문제에 관한 불안감 등 정신적 피해가 더 컸었다. 나아가 점차 독재화로 치닫던 이승만 정권에 대한 불신감에 겹쳐, 6·25전쟁에 이은 휴전 직후의 궁핍한 삶을 살아가고 있던 그 무렵의 취약했던 한국 언론계 전반에 끼친 유형 무형의 영향이 대단했음도 뒤이어 밝혀지게 된다.

테러의 동기는 그동안 탈법과 비리가 이어지던 자유당 권력과 그 산하 대구·경북의 경찰과 관료 등 지방 권력자들의 횡포를 『대구매일신문』이 기사와 칼럼, 사설 등으로 끊임없이 비판해온 데서 비롯되었다. 그들이 얼마 뒤 백주테러의 정당성을 합리화하며 스스로 '불온 기사'라며 발췌·예시한 기사만도 35건이었던 데서 알 수 있었다. 즉 논설(칼럼)이 5건, 사설이 7건, '야고부(野鼓賦=단평)'가 13건, '완몽성어(琓夢醒語=단평)'가 8건, 기타 '가로등',

'주간 내외' 등이 2건이었다.

이중 그들이 테러 사건 하루 전인 9월 13일자 신문을 읽고, "도저히 그냥 뒤선 안 되겠다"며 다음 날 보복 테러를 실천에 옮기게 된 문제의 사설이 한국 언론 탄압사에 한 획을 긋게 된 바로 최석채(崔錫采, 1917~1991) 주필의 저 유명한 「학도를 도구로 이용하지 말라」는 제목의 사설이었다.

사설의 초점은 중앙에서 고위 관료가 대구에 내려올 경우 비뚤어진 아부 근성과 출세욕에 빠진 지방의 관료들이 한창 학업에 몰두해야 할 15~16세의 중·고등학생들을 환영 인파로 도열시키는 악폐를 되풀이하고 있음에 대한 통렬한 질타의 내용이었다. 그러니까 지방 관료들로선 그동안 쌓여왔던 『대구매일』 기사와 논설에 대한 악감정들이 이날의 뼈아픈 사설을 계기로 폭발, 폭력 테러란 실력 행사로 앙갚음을 해 온 셈이었다.

결국 이 사건은 그들이 온갖 구실을 붙여 최주필을 30일 동안 구속시킴에 따라 언론 자유 수호 문제로 번져 전국의 신문사들이 일제히 분기(憤起)토록 했고, 언론 테러 정권과 언론 자유 수호 세력 간의 대결로 확대되는 양상으로 뻗어나게 되었다. 최 주필은 법정 투쟁 끝에 이듬해 5월, 대법원의 무죄판결로 자유의 몸이 되었고, 테러 가해자들과 비호 세력들은 구속되거나 현직을 떠나야만 했다.

테러 세력들은 첫째, 그들의 백주 테러 행위가 전국의 언론사

가 힘을 합쳐 저
항해야만 할 한
국 언론사 모두
에 대한 충격적
인 도전이자 언
론 탄압의 단초
란 점을 간과했

테러의 발단이 된 사설이 실린 『대구매일신문』 지면

었다. 둘째, 대구매일은 비록 지방의 작은 신문사였지만 당시 서
울의 경향신문과 더불어 가톨릭 재단이 운영하는 정론직필의 사
시(社是)를 실천하고 있는, 굴복불가(屈服不可)의 정론 신문사 중
의 한 곳임을 얕잡아 봤다. 그 때문에 셋째, 가해자들은 피습 이
후 일반 독자뿐만 아니라 종교계, 특히 전국의 가톨릭 성직자와
신자들 사이에 반감과 저항이 거셀 것이란 초보적인 예측도 못
한 채 무지막지한 폭력부터 앞세움으로써 스스로 자멸의 길로
들어갔던 것이다.

이 사건 이후 독자들로부터 "바른말 할 줄 아는 신문", "매운
기사 싣는 신문사"란 평가를 받게 된 대구매일은 테러 피습으로
난장판이 된 제작 시설로 겨우겨우 찍어낸 가판 신문이 날개 돋
친 듯 팔려나가자 더욱 분발하기도 했다. 그런 가운데 시설 복구
와 새 제작 의욕을 갖게 된 1955년 말에는 피습 전 4천여 부에
불과했던 발행 부수가 단숨에 1만 부로 뛰어올랐다. 이듬해 5월,
정·부통령 선거철을 맞아 정치적으로 민감한 시기와 맞물렸을
무렵엔 어렵잖게 2만여 명의 고정 독자를 확보할 수 있었다.

당시 대구 시내의 인구가 50여만 명이었음에 비춰, 놀랄 만한 급성장세였다. 또 『영남일보』와 『대구일보』 등 선발 동업지의 뒤만 쫓던 빈약했던 사세(社勢)가 지명도가 높아감에 따라 단숨에 앞지르기를 하게 됨은 물론, 수도권에서도 전국지(全國紙)에 버금가는 정론지란 인식을 심어주는 겹경사를 얻게 된다.

최석채 주필은 이 사건 직후 잠시 언론계를 떠났으나 그의 역량과 패기를 높이 산 조선일보에 의해 1959년 논설위원으로 초빙되었다. 그곳에서 이듬해인 1960년 3월 17일, 그로서는 두 번째 명사설을 내어놓게 되는데 그것이 바로 자유당 정권의 탈헌법 행태를 조준해 비판한 「호헌구국운동 외에는 다른 방도가 없다」란 사설이었다. 이어 이해 9월 경향신문 편집국장, 1961년 1월엔 조선일보 편집국장, 10월부터 3년간은 다시 논설위원을 거쳐 64년 4월엔 주필로 승진함과 동시에 한국의 원로 논객, 언론인으로는 당대 최고의 명예직이라 부를 만한 한국신문편집인협회의 제3대 회장직에까지 오른다. 결국 이 사건의 동기와 전개 과정은 지방의 한 작은 신문사에 가해진 지역 권력자들의 무지한 폭력에 의한 재액(災厄)이었음이 분명했으나 대구매일신문사와 최 주필에게 돌아온 결과는 아이러니하게도 도약의 날개를 달아준 전화위복(轉禍爲福)의 드문 예증(例證)이 되었던 셈이다.

김수환 추기경의 대구 언론인 시절

　　1922년 음력 5월 8일 대구시 남산동에서 태어
난 한국 최초의 추기경인 고(故) 김수환(1922~2009) 신부는 세 살
이후 초등학교 5학년 말까지 경북 선산군과 군위군에서 살았다.
6학년 무렵부터 다시 대구로 이사 와, 태어난 동네 근처인 남산
3동의 성(聖)유스티노신학교 예비과에 입학했다. 신부 양성이 목
적인 이 소신학교는 초등학교 5, 6학년 과정이었으므로 군위에
서 5학년을 마친 그로서는 바로 6학년에 들어가 1년 만에 수료할
수 있었다. 하지만 입학시험 성적이 좋지 않아 5학년 과정부터
되밟도록 배정돼, 졸업 때까지 2년간의 청소년기를 대구에서 보
내게 된다.

　　뒷날 서울 동성고(을조 · 신학과)와 일본 동경의 조치(上智)대학
신학과를 거쳐 가톨릭대학을 졸업하고 1951년 신부 서품을 받은
김 추기경은 약 2년 반 동안 안동과 김천에서 신부 초년기의 "재
미 나던" 본당신부 생활을 겪은 뒤, 53년 4월 최덕홍 당시 천주

교 대구교구장의 비서로 발탁되어 다시 대구에서 살게 된다. 그러나 배움의 열망에 가득 찼던 30대 초반의 그는 교구청의 허락 아래 1956년 10월, 당시로는 드문 독일 유학의 기회를 갖는다. 그곳에서 7년간의 유학 생활을 마치고 63년 11월 귀국, 대구로 돌아오게 된다.

독일 윈스터대학과 대학원에서 사회학을 전공한 김 추기경은 귀국 반년 만인 1964년 봄, 대구시 남일동에서 발행되던 주간 종교신문인 『가톨릭시보』의 사장직을 맡는다. 그 무렵 마흔한 살의 서품 13년차 유학 경력의 신부인 그에게 당시 대구교구 대주교였던 서정길은 교회직이 아닌 신문사 사장직을 "난데없이"(김 추기경의 당시 느낌) 맡겼던 것이다. 은근히 본당신부로 돌아가기를 바랐던 김 신부로선 다소 뜻밖의 발령이었는지 몰라도 교구청으로선 다년간 해외 문물을 익혀온 그에게 만성 적자에다 존재감마저 희미했던 주간 가톨릭 전문지를 맡김으로써 유럽의 신사조와 접목해 혁신의 기틀을 다져보라는 의도였던 듯하다.

막상 그가 사장직을 맡고 보니 정리가 시급한 채권·채무에다가 10여 명 직원들의 월급도 체불 상태인 절박한 실정이었다고 한다. 게다가 사장이 바뀌자 마침 편집국장도 사표를 내고 떠나버려, 제작 일손마저 딸려 한동안 막막한 처지였다는 것. 그렇지만 절박하고 옹색한 회사 실정이 김 신부에겐 오히려 기도하는 심정으로 극복하려는 도전의 의지를 다지게 된 계기가 되었다는 옛 직장 동료들의 회고담이기도 하다.

그는 먼저 신문 논조의 뼈대인 신문의 사설부터 사장인 자신이 직접 밤새워 쓰기 시작했다. 또 매주 수요일의 편집회의를 주도하며『가톨릭시보』의 고정 칼럼인 '반사경'도 밤새 끙끙거리며 자신이 써내었다. 어떤 날은 고참 기자가 책임을 느껴 겨우 써오면 그 전날 펑크에 대비해 자신이 써두었던 것을 과감히 버리고 기자의 원고를 싣도록 조치해 잔잔한 감동의 뒷말을 남기기도 했다.

바티칸의 종교 소식이나 서구의 종교 관련 외신도 대구의 통신사와 협력해 단독으로 급송받아 스스로 번역·게재함으로써 타 매체에 볼 수 없는 돋보이는 속보와 해설 기사를 실을 수 있었다고 한다. 다년간 외국에서 닦아온 그의 외국어 실력이 빛을 발한 결과였다. 사원들은 그가 영·불·독어는 물론 라틴어까지 할 수 있다는 소문을 확인해볼 겸 열흘에 한 번씩 갖게 되는 어느 날의 저녁 회식 자리에서 농담 삼아 물은 적 있었다.

"누군가 사장님을 5개 국어인가 6개 국어에 능통하시다고들 하던데 저희들이 뭘 잘못 들은 건 아니겠지요?"

그러자 김 사장은 얼굴 가득 어린아이 같은 천진한 웃음을 보후, 짐짓 시침을 뚝 떼는 장난스러운 표정을 지으며, "그거요? 뭘 잘못 들은 건 분명하네요. 난 썩 잘 한다곤 말 못 하지만 5, 6개 국어가 아닌, 8, 9개 국어쯤은 하지요"라고 대답했다.

사원들이 일제히 놀랍다는 반응을 보이자,

"이왕 말이 나온 김에 어디 한번 함께 챙겨봅시다." 하며 장난스레 손가락을 꼽는 시늉을 하며 말을 이었다.

"자~ 독일 유학을 오래 했으니 독일어는 당연히 그렇다 치고, 외방 선교회 일로 자주 드나든 그 이웃 나라 불란서어도 그럭저럭 하는 축에 들고, 영어는 학생 때 배운 밑천으로 6·25 때 미군 통역 노릇도 했을 정도지. 신부니까 미사 예절과 교리 탐구를 위해 라틴어도 익혀야만 했고. 또 바티칸이 로마 시내에 있으니 그곳 이태리 말도 덩달아 귀동냥할 수 있었지요. 일제 시대에 중학교를 거쳐 일본의 대학에 유학까지 했으니 일본말쯤은 역시 당연하고, 거기다 모국어인 한국말은 필수이고, 그중 특히 '참말'도 잘하지만 '거짓말'도 가끔 하니, 모두 합쳐 여섯 일곱 나라 말이 아닌, 아홉 나라 말을 하는 셈이 되는가요?"

"와~ 하 하 하, 사장님도!"

사원들의 함박웃음 속에 무언의 단합 의지를 다져간 뜻깊은 회식들이었다고 옛 사우들은 그립게 회고하기도 했다.

『가톨릭시보』가 가톨릭 신자들을 위한 종교 매체이긴 하지만 비신자들도 읽고 싶은 신문을 지향해야 하고, 성당이 세상을 위한 교회가 되려면 종교 색채 외에도 세상 사람들과 소통해야 한다는 것이 김수환 사장의 당시 지론이었다. 따라서 그는 유명 목사, 스님, 이어령 등 문사들에게 편지를 띄워 한국의 가톨릭을 어떻게 생각하느냐, 하루빨리 고쳐야 할 단점은 무엇이라고 생각하느냐는 등 민감한 질문을 던지기도 했다. 답장 원고를 받아보자 "교회 밖 사람들이 가톨릭을 이토록 부정적으로 보는구나!" 하고 탄식하면서도 원고 내용 그대로를 과감히 신문에 실어 가톨릭 교회 내 보수층 일부의 고깝다는 시선을 받기도 했지만 태연히 넘기곤 했다.

신문 제작과 편집에
어느 정도 자신감을 갖자
김 사장은 경영 정상화
에 심혈을 기울이기 시작
했다. 적자 살림을 만회

언론인 시절의 김수환 추기경

하기 위해 몇 달씩 밀린 구독료를 받아내는 일, 광고를 더 끌어
들이는 일, 구독자 증가 판촉 업무에 몰두했다. 일요일마다 본인
이 직접 대구 시내의 여러 성당을 방문했고, 편집국과 업무국 사
원들을 뒤섞어 2개 조로 만들어 몸과 입으로 광고와 구독 신청을
독려하도록 권했다. 어느 날 로만칼라 차림 대신 독일 유학 시절
의 간편한 검은 와이셔츠 차림으로 성당을 찾아간 김 사장이 본
당신부와 면회하기를 청하자 성당 사무직원은 "지금 안 계시오.
언제 오실 줄 모르니 그만 가시오"라며 마치 잡상인 취급을 하며
따돌리는 일도 있었다고 한다.

이처럼 2년 반에 걸친 김 신부의 『가톨릭시보』 시절은 옛 직
원들의 회고에 따르면 "밥 먹는 시간도 아까울 정도로 일에 미
쳐 살았다"라고 한다. 김 신부 자신도 "내 일생에서 가장 열정적
으로 일에 매달린 시절"이었다고 당시를 회상한 바 있었다는 것.
이로 인해 1년여 만에 만성 적자였던 경영 실적이 흑자로 돌아
섰고, 사원들의 월급봉투도 전보다 두툼해갔다. 2년차 여름에는
구독 및 광고 보급차 전 사원과 함께 부산교구를 찾았을 때 그곳

주교의 해수욕장 초청을 받게 돼 사세 신장을 위해 쏟아온 그동안의 노고를 씻을 수 있는 모처럼의 신나는 바캉스 기분에 젖었다. 해방감으로 웃고 떠드는 사원들과 더 넓은 해변 풍경을 바라보며 김 신부가 무심결에 "아~ 우리가 에덴에 왔구나!" 하며 감탄하던 모습을 두고두고 잊을 수 없다는 한 옛 사원의 회고담이 있기도 하다.

신문 경영 업무를 하는 틈틈이 김 신부는 대구교도소를 방문해 주일미사를 집전하거나 고해성사를 베풀며 재소자들을 위로하기를 잊지 않았다. 고해실에서 귀를 기울이는 동안 "교도소 밖에 있어야 할 사람이 안에 있고, 안에 있어야 할 사람이 밖에 있는 것이 아닌가"라고 지적, '무전유죄, 유전무죄' 세상을 탓하며 고개를 갸우뚱거리는 일이 잦았다고 한다. 이 때문에 그는 고해성사를 마치고 오면 가끔 "순백의 영혼 같은 천사를 만나고 온 느낌"이라고 지인들에게 술회하기도 했다.

아울러 그는 행려병자, 장애인 등 1천여 명이 수용돼 있는 대구의 희망원과 같은 시립복지 시설을 자주 찾아가 기부받은 성금을 전했고, 수녀회와 연결시켜 봉사활동을 하도록 도왔다. 그는 희망원에 삶을 지탱하고 있으면서도 실제론 '절망원'에 살다시피하고 있는 이들을 만날수록 마음이 끌려 발걸음이 떨어지지 않았다고 한다. 그는 "이들이야말로 예수님 사랑을 가장 애타게 기다리는 사람들"이라며, "이들과 똑같이 먹고, 자면서 살아갈 수 있어야 하지 않을까"란 자문자답의 망설임을 되풀이하던 중

1966년 느닷없이 마산 교구장으로 승진 발령을 받고 신문사와의 미련을 남긴 채 연(緣)을 끝내고 만다.

그러나 먼 뒷날 그가 서울대 교구장에 이어 추기경이 되었을 때『평화신문』창간과 평화방송 설립을 주도할 수 있었던 것도 『가톨릭시보』시절 이때의 경험과 사명감, 미련이 작용했는지 모른다. 또 '절망원'에 대한 그의 애타던 망설임은 그를 대신해 가형인 김동환 신부가 부산의 장애인 및 행려병자 시설에서 살신성인의 노력으로 꽃피워간 것으로 전해진다. 그래서인지 김수환 추기경은 생전에 "나의 형님 김동환 신부는 자신으론 견줄 수 없는, 훨씬 덕이 높은 분"이라고 실토한 적 있었던 것으로 전해진다.

대구 절망 시절의 전태일과 이윤복

스물두 살의 한창 성취해갈 청년임에도 "근로
조건을 개선하라"고 절규하며 스스로 분신자살해 한국 노동운동
사에 한 획을 그은 전태일(全泰壹, 1948~1970)과, 열한 살의 어린
몸으로 굶주리는 두 동생과 병든 아버지를 보살피며 학교를 다
녀야만 했던 사실상 가장의 몸으로『저 하늘에도 슬픔이』란 일기
책을 펴낸 이윤복(李潤福, 1953~1990)….

이 두 사람은 같은 지연과 학연으로 얽힌 데다, 무능하면서도
폭력적인 아버지들을 피해 똑같이 가출한 어머니들을 그리워하
며 생활전선을 헤맨 공통점을 지니고 있었다.

전태일은 1948년 8월 대구시 남산동에서 태어났고, 그보다 5
년 뒤인 1953 경북 의성군에서 출생한 이윤복은 대처에 나가서
굶지 않는 밥벌이를 하려 했던 부모 따라 유년기에 남산동으로
이사 왔다. 6 · 25 전후에 두 가족이 살았던 남문시장 서편의 남
산동은 이때만 해도 근방에 화장터와 공동묘지가 남아 있어 셋

방 값이 비교적 싼 대구의 남부 외곽 빈민촌이었다. 이윤복이 또래들 학령보다 2년 늦게 인근 명덕국민학교에 입학하게 된 것도 도시 하층 빈민으로 편입되어 입에 풀칠하기조차 어렵던 이농민 출신의 극심한 빈민의 아들이었기 때문이었다.

전태일의 집안 사정은 이보다 더 열악했다. 처음부터 최하층 도시빈민층에 들었던 살림 형편으로 인해 태일 소년은 휴전 직후 더 나은 삶을 찾아 부모와 더불어 상경해 여덟 살 때인 1956년에 학교에 입학했지만 정규 학교가 아닌 남대문초등공민학교였다. 4년 뒤, 열두 살 때 겨우 정규 학교인 남대문국민학교에 편입할 수 있었으나 녹록잖은 서울살이에 실패한 부모를 따라 다시 대구의 남산동으로 돌아오게 되자 '초등학교 4학년 중퇴'란 기록이 평생 그의 공교육 이력으로 남게 되었다.

이 바람에 두 사람 사이엔 우연이라기엔 묘한 '학연'이 생겨난다. 즉 이윤복이 다니던 명덕국민학교의 동쪽 가교실 세 칸을 빌려 2년 전 대구의 대학생회가 개교했던 중등과정의 청옥(靑玉)고등공민학교에 63년 5월 전태일이 편입학하게 되었기 때문이다. 교명과 교육과정은 달랐으나 한 울타리 안인 데다, 명덕 학생들이 수업하고 난 같은 교실, 같은 운동장에서 오후 5시부터 9시까지 청옥 학생들이 야간수업을 받게 돼, 그 시절에 흔했던 오전 · 오후 수업반 학생들의 교대와 같아 등하교생들 간에는 어렴풋이나마 동창 의식이 느껴지는 분위기였던 까닭이다.

전태일에게 있어서 비록 반년 남짓 기간에 불과했지만 청옥 시절의 이 짧았던 야간 공민학교 수학 기간은 그의 생애를 통틀어 가장 흥분되고 찬란했으며 희망에 찬 행복한 기간이기도 했다. 그 1년 전 그의 어머니 이소선(李小仙)은 빈궁한 가세에다 실직 상태의 열패감에 사로잡힌 남편의 술 주정과 가정폭력을 견디다 못해 식모살이라도 한다며 가출한 상태였다. 그 바람에 그도 집을 나와 서울과 부산, 영천 등지에서 구두닦이, 신문팔이 등으로 떠돌다 1962년 가을, 집에 돌아왔을 때는 놀랍게도 양친은 합가해 있었다고 한다. 전태일도 아버지의 재봉 일을 도우며 안착할 수 있게 된 1963년 5월, 뜻밖에도 어머니가 그를 꿈에도 그리워 마지않던 학교 공부, 즉 중등과정의 남녀 야간 청옥고등 공민학교에 입학의 길을 틔워주었던 것. 전태일은 "뛸 듯이 기뻤다"며, 뒷날의 수기에서 기뻤던 기억을 애써 남기게 된다.

『전태일 평전』을 쓴 같은 대구 출신 조영래(趙英來, 1947~1990) 변호사는 "저 모란공원 묘지 한구석에 자리 잡은 그의 무덤 비석 앞에서 누군가가 가만히 소리내어 '청옥고등공민학교'라고 말한다면 그는 아마도 잡초가 우거진 무덤 위로 전태일의 은은한 미소가 떠오르는 것을 느낄 수 있을 것이다"라고 기록했다. 그만큼 청옥에서 보냈던 1년도 채 못 되는 학창 시절을 뒷날 전태일은 "내 생애에서 가장 행복하였던 시절"이라고 회상했다고 평전은 쓰고 있다. 평전에 의하면, 청옥 시절에 관해 전태일이 남긴 '즐거운 회상'은 이것만이 아니다.

…나는 기초지식이 없어 영어와 수학 과목은 이해하는 데 무척 힘이 들었다. 그렇지만 다른 과목은 다 재미있고 50분 수업이 너

무 짧은 것 같았다. 정말 하루하
루가 나를 위해서 존재하는 것 같
았다.

전태일 흉상

…우리 반에서도 나는 인기 있
는 학생이었다. 아무리 과거에 국
민학교를 졸업하지 못하였지만,
서울에서 다녔고 말은 조금 재미
있게 하는 재능이 있었다. …피나
게 열심히 공부에 공부를 더한 나
는 노력의 보람이 있어, 우리 반
실장이던 박천수가 학교에 못 나오게 되자 담임선생님인 손 선생
님께서 나에게 실장의 임무를 주었다.

…(체육대회 후 점심 식당에서)… 다른 선수들과 나란히 자리
를 같이 하면서 대화를 나눌 때, 문득 내가 아직도 서울에서 방황
하고 있었으면 어떻게 되었겠나를 생각할 때 가슴이 뭉클하면서
… 어떻게든지 공부를 끝까지 해서 지금도 서울에서 고생하고 있
는 친구들을, 그리고 거리에서 허기진 배를 움켜쥐고 5원의 동정
을 받고 양심까지도 다 내어 보여야 하는, 언제든지 밑지는 생명
을 연장하려고 애쓰는 불쌍한 사람들을 위해 일하리라고 막연하
게 생각을 했다.

그러나 입학한 지 1년도 안 된 63년 겨울, 아버지는 학업을 중
단하고 집에서 전적으로 재봉 일만 도우라고 명령한다. 태일은
명령을 거부하고 꾸지람과 호통과 매질을 받아가며 학교에 갔

고, 어머니는 아들의 편을 들었으나 이런 일이 빌미가 되어 아버지는 다시 폭음을 시작했다. 이로 인해 집안에는 거의 매일 고함, 구타, 울음소리가 소용돌이쳤다고 그의 수기는 밝히고 있다.

전태일은 궁리 끝에 동생 태삼과 함께 서울을 향해 두 번째로 집을 나갔다가 며칠 후 다시 돌아왔지만, 그에 따라 어머니와 자식들을 향한 아버지의 행패는 더 심해갔다. 가난이야 익숙했다 쳐도 남편의 폭력이 더 거칠어지자 견디다 못한 어머니가 얼마 후 식모살이라도 해서 돈을 벌어오겠다며 두 번째 가출을 하게 된다. 전태일 역시 어머니도 찾을 겸 아버지의 행패에서 벗어나기 위해 막내 여동생 순덕이를 데리고 세 번째로 집을 나가서 서울로 향한다. 그로서는 청옥학교를 다니면서 잠시나마 배움의 기쁨을 안겨준 희망의 땅이었으나, 끝내 모진 아픔을 덧씌워준 '절망의 도시'인 고향 대구와의 영원한 이별이 이때 이뤄지고 만 셈이었다.

뒷날, 7년에 걸쳐 뿔뿔이 흩어진 가족들 간의 애달픔과 굶주린 삶을 거쳐, 전태일은 평화시장의 열악하기 그지없는 미싱공 생활과 노동운동 끝에 "사람은 기계가 아니다"라고 절규하며 분신을 하기에 이른다. 숨이 넘어가는 순간에도 노동운동의 뒷일을 어머니 이소선에게 부탁하며, "배가 고파요!"란 마지막 말을 남기고 떠난 과정까지는 이미 세상에 널리 알려진 그대로이다.

전태일이 청옥학교로 인한 환희와 절망을 함께 겪었던 1963~64년 그 무렵, 이윤복도 태어난 이래 최대의 슬픔에 젖어 있었다. 태일의 아버지를 닮아 윤복의 아버지도 언제나 술에 젖은 데다 노름에까지 빠져 걸핏하면 아내에게 폭력을 휘두르는 버릇이 있었다고 한다. 여기에 지친 윤복의 어머니는 윤복의 여동생 한 명을 데리고 1년 전 이미 집을 나가버린 상태였다. 때문에 열한 살의 이윤복이 남은 두 동생과 그 무렵엔 취중 교통사고로 병들어 누워 있는 아버지까지 네 식구의 생계를 도맡은 실질적인 가장이자, '없는 집' 주부 노릇도 겸하고 있는 형편이었다. 그러므로 학교 수업이 끝난 오후는 물론, 때론 수업을 빼먹어가며 껌팔이나 신문팔이, 또는 구두닦이로 돈벌이에 나서야 했다. 나선다고 늘 수입이 생기지도 않으려니와, 특히 비 오는 날엔 공치기 예사였다. 돈푼이라도 들어오는 날엔 국수 정도로나마 네 식구의 끼니가 해결됐지만 그마저 못한 날엔 아예 굶거나, 동생들을 위해 동급생들의 눈길을 피해 남산동이 아닌 다른 동네로 밥 구걸을 하는 비렁뱅이 짓이라도 해야만 했다.

그는 이때의 내동댕이쳐진 자존심으로 인한 아픔과, 가출한 어머니에 대한 그리움, 굶주리며 쓰라렸던 자신의 슬픈 심경을 1963년 6월부터 1964년 1월까지 8개월간 노트에 꼬박꼬박 일기 형식으로 기록해왔다. 일기에는 "껌을 팔아야 국수라도 삶아 먹겠다" "껌 장사를 하지 않으면 깡통을 들고 밥이라도 얻으러 가야 하니 참으로 싫습니다" "어머니, 아버지가 미웁더라도 하루빨리 집으로 돌아와 같이 살아요"란 내심의 뼈아픈 울부짖음이 기록돼 있었다. 이것이 같은 명덕교 김동식 교사에 의해 신문에 알려지고, 그의 교섭으로 64년 3월『저 하늘에도 슬픔이』란 제목으로 출판, 베스트셀러가 됨으로써 수많은 독자의 심금을 울렸다.

영화 〈저 하늘에도 슬픔이〉

이어 64년 김수용 영화감독에 의해 신영균, 주증녀 등 당대 유명배우들이 출연한 같은 제목의 실화로 영화화되자 이윤복 소년에 대한 세상의 동정심은 더욱 치솟았다. 덕택에 같은 대구 빈촌의 소년 가장 출신들이었음에도 살았을 때의 전태일과는 달리 윤복이네의 살림 형편이 눈에 뜨이게 펴진 데 이어, 가출했던 어머니와 동생도 돌아와, 오랜 슬픔이 걷혔던 것으로 알려진다. 이윤복은 그 뒤 대구의 경복중, 능인고를 거쳐 군 입대 후 직장 생활을 하다 굶주리며 가장 노릇을 하느라 몸을 혹사해왔던 탓인지 만 37세의 한창 나이인 1990년 만성간염으로 사망하고 만다.

1인당 국민소득(GNI) 80달러 안팎이던 '대구 절망 시대'에 한을 남기고 떠나간 두 사람의 일생은 결코 그들만의 일이 아닌, 이 나라 동시대의 많은 젊은이들이 적건 많건 다 함께 짊어졌던 슬픈 자화상에 다름 아니기도 했다.

대구에서 뿌리내려 뻗어난 삼성그룹

　　『삼성 50년사』에 "세계의 대기업과 어깨를 겨루는 삼성의 출발은 대구에서였다"고 분명히 기록돼 있을 정도로, 삼성그룹의 모태(母胎)가 대구였음은 널리 알려진 사실이다. 1938년 3월 1일, 당시 28세의 청년사업가 호암(湖巖) 이병철(李秉喆, 1910~1987)이 대구시 수정(竪町), 현재의 인교동(仁橋洞) 61-1번지에서 삼성상회(三星商會)란 회사 간판을 내걸면서 뒷날 국내 제일의 세계적 기업이 되는 첫걸음을 떼었기 때문이다. 아무나 자본금을 확보하고 간판을 내건다고 해서 창업을 잘했다고 말할 수는 없다. 창업 못지않게 닥쳐올 수성(守成)이 중요하며, 예열(豫熱)을 받아야 차도 잘 움직이듯, 사업체를 키우고 가꿔가기 위해서는 경영의 예비 훈련, 즉 사업의 사전 경험이 필수적이다. 이런 뜻에서 호암은 대구에서 본격적인 새 사업의 터전을 잡기 전, 이미 마산에서 2년여 동안 정미소와 화물회사를 운영한 경험을 갖고 있었다. 그는 여기서 단맛과 쓴맛을 고루 맛본 후 처분하고, 홀로 새 터전인 대구에서 전과는 다른 신사업의 창업을 결행

함으로써 뒷날 그 의미가 새로우면서도 남달랐다는 평가를 받게 된다.

친지와 공동으로 시작했던 마산에서의 첫 사업은 1936년 자본금 3만 원에 종업원 50명 규모의 협동정미소와, 트럭 20대를 보유한 화물 운송 전문의 일출(日出)자동차, 여기다 대출에 의존해 매입한 40만여 평의 김해농장과 관련된 부동산 사업이었다. 처음에는 그런대로 잘 굴러갔다고 한다. 그러나 군국 일제의 중국 침략 전쟁이 날로 확전되면서 은행의 대출 회수 독촉으로 도산의 위기에 놓이자 모든 사업체를 싸게 처분하지 않을 수 없었다고 한다. 손을 털고 나서야 호암은 "사업은 반드시 시기와 정세에 맞춰야 한다"는 값비싼 교훈을 얻게 되었다는 것이다.(『호암 자전』)

사업을 일시 접고 난 호암은 더 넓은 다른 세상의 사업 풍토를 목격할 겸 시장조사와 안목을 넓힐 요량으로 두 달간에 걸쳐 전국을 주유하게 된다. 부산, 서울, 평양, 신의주, 원산, 흥남을 거쳐 국경을 넘어 중국 대륙의 신경(장춘), 봉천(심양), 북평(북경), 청도에까지 발길이 닿았다. 이 여행을 통해 그는 사과, 밤 등 청과물의 무역과, 오징어 등 건어물의 대륙 수출 문제에 관심을 갖게 된다. 따라서 그는 이런 농수산물의 수출입업을 효과적으로 수행할 적지가 대구임을 깨닫고, 대구 시내에서도 가장 큰 상권이 형성되어 있는 서문시장 부근이 최적지임을 판단한다. 그래서 당시 대구의 최번화가인 모토마치(元町, 현 북성로)의 서쪽 끝자락과 닿아 있으며, 서문시장과도 가까운 지금의 대구시 중구 인교동 61-1에 매물로 나와 있던 대지 250평, 지상 4층, 지하 1층의 목조 점포 건물을 매입하기에 이른다.

『호암자전』에서 호암은 "서문에서 서쪽으로 300미터 떨어진 신천(新川)을 끼고 경부선 철도와 현풍가도가 만나는 곳까지가 시장터였다"고 지적하고, 그래서 그는 "서울·부산 간의 국도와 접한 이곳은 북으로 안동, 의성, 김천, 상주에, 남으론 현풍, 고령, 서로는 성주까지 연결되었으므로 생필품을 비롯, 농산물, 수산물, 옷감, 가축까지" 광범위한 거래될 수밖에 없는 물류유통의 적지이자 교통의 요지라고 보고 택했음을 밝혔던 것이다.

상호를 삼성이라 정한 것은 "삼성의 삼(三)은 큰 것, 많은 것, 강한 것을 나타내는 것으로, 우리 민족이 가장 좋아하는 숫자이며, 성(星)은 밝고, 높고, 영원히 빛나는 것"이라는 뜻에서 작명했다고 그 의미를 부여했다.

법인 형태로 출범한 '삼성상회'의 창업 자본금은 3만 원. 무역업 외에, 제분기와 제면기도 갖춰, 소규모 제조업에도 손을 뻗칠 계기를 마련했다. 그러나 창업 초기의 주 업무는 대구 근교의 산지를 돌며 청과물을 수집하고, 포항 등지에서 건어물을 들여와 만주와 북경지방으로 수출하는 일이었던 만큼 경북 지방의 작황과 어황을 끊임없이 체크하고 분석하는 일에 바빴다.

40여 명의 종업원이 신사업에 매달리는 소규모 신설회사였으므로 임직원 조직은 사장 아래에 지배인, 사무직, 생산직 체제였다. 개업 한 달 뒤 호암은 지배인으로 경남 함안 출신 친구이자 일본 와세다대학의 동창인 이순근(李舜根)을 영입한다. 지배인이란 오늘날 주식회사의 전무 격이자 때론 사장을 대리한 부사장 격 중책의 사장 대리역이어서 신임이 두터워야만 인선되는 관례였다. 이순근 지배인에게 호암은 자신이 책임질 은행 융자, 자재 대량 구매, 대형 수주를 제외한 어음책, 인감 관리 등 주요 경리 업무를 포함한 경영 일체를 일임함으로써 주변을 놀라게 했다. 호암 특유의 유명한 용인술(用人術)이자 인사관리 방침이 이때부터 빛을 발한 셈이 되었다. 즉 "의심이 가거든 고용하지 말고, 고용한 사람은 의심치 말라(疑人勿用 用人勿疑)"라는 송사(宋史)에 나오는 사필(謝泌)의 명언을 몸소 실천하기 시작했던 것이다.

삼성상회가 자리 잡아가자 이듬해인 1939년 호암은 당시 대구 시내 8대 탁주 양조장의 하나인 조선양조주식회사를 인수한다. 장차의 목표는 거래량이 많고 수지 타산이 맞는 일본 술 청주(사케) 양조회사로 발돋움하기 위해서였다. 조선양조가 기대했던 대로 1년 만에 대구 시내 탁주 제조업계의 선두를 달리게 되자 청주 제조에도 진력하게 된다. 이어 1940년부터 일제의 이른바 '성전(聖戰) 수행'의 여파로 식량난이 몰아칠 기미를 눈치채고 칠곡군 왜관 근처인 신동(新洞)에 1만여 평의 과수원을 매입해 미래에 대비했다. 그러나 이듬해 일제가 무모하게도 진주만을 공격하면서 제2차 세계대전에 끼어들자, 악화된 전황으로 전시 경제 체제가 더욱 강화돼 양조업은 물론, 삼성상회의 수출입 사업도 명맥만 유지되는 상황이었다.

이에 호암은 이순근 지배인에게 일체의 운영권을 맡기고 1942
년 여름부터 약 3년에 걸쳐 전시 소개(疏開)를 핑계 삼아 고향인
경남 의령군 중교리(中橋里)의 옛집을 드나들며 휴식을 겸해 독서
삼매경에 빠지기도 하는 등, 반쯤 칩거 상태로 들어간다. 급변하
는 시국의 추이를 한걸음 물러서서 관망하면서도 곧이어 닥칠지
모를 엄청난 사태 변화에 대한 우려의 해소와, 대처 방식을 차분
히 구상할 수 있는 심신 재충전의 기회로 삼았던 것이다. 뒷날 2
대 회장으로 삼성그룹의 도약에 크게 기여한 3남 이건희(李健熙,
1942년 1월생) 회장과, 신세계그룹으로 분가해 사세를 비약적으로
발전시킨 5녀 이명희(李明熙, 1943년 9월생) 회장은 둘 다 호암이
은인자중하는 가운데 그다운 예지력을 기르며 미래를 구상하고
있던 이 숙고의 시기에 태어났음은 새겨볼 만한 대목일 듯하다.

1945년 8·15광복 후 대구로 돌아와 다시 사업에 몰두하면서
호암이 맨 먼저 한 일은 마침 이 지배인의 정계 진출로 공석인
자리에 대구 실업계의 명망 있는 일꾼으로 알려진 김재소(金在炤)
를 부사장으로, 또 대구상업학교(대구상고)를 나와 제면공업조합
에 오래 종사해온 이창업(李昌業)을 지배인으로 각각 영입한 일이
었다. 새 팀을 갖추자 새 시대의 새 상품으로 조선양조의 청주를
'월계관(月桂冠) 특선품'이란 상표로 출하했는데 주당들에게 인기
가 높아 대구 경북 지방은 물론 서울에까지 진출하는 성공을 거
둔다.

한편 호암은 미 군정하의 경북민정관이자 애국지사인 장인환
(張仁煥)과 여상원(呂相源) 등 대구의 지방 유지들과 실업인들이

중심이 된 을유회(乙酉會) 회원들과 의기투합해 1946년 초, 『대구시보』(『호암자전』에 『대구민보』라고 되어 있는데 '시보'의 착각인 듯)란 신문의 공동 경영인이 되기도 한다. 약간의 자본 투자에 의한 간접 참여에 불과했지만 장인환 사장 밑에서 그는 잠시 경리국장의 직책을 맡았다. 이때의 짧은 경험과 언론에 대한 새로운 관심사가 바탕이 되어 뒷날 삼성그룹이 『중앙일보』를 창간하고 동양방송을 개국하는 계기가 되었다는 평가를 받게 된다.

호암과 대구와의 인연은 이듬해인 1947년 5월 일단락되는 듯했다. 그가 더 본격적인 무역사업을 할 의욕으로 순조롭게 굴러가던 대구의 사업체를 그 무렵 부사장에서 승진한 김재소 사장과, 인사 관리와 경리를 책임진 이창업 지배인에게 일임하고, 자신은 가솔을 이끌고 서울 종로구 혜화동 163의 25로 이사했기 때문이다. 어느 정도 자리가 잡힌 1948년 11월에 그는 종로 2가 영보빌딩 2층 건물 100여 평을 빌려 삼성물산공사란 무역회사 간판을 달았다. 이때 전체 자본의 75%는 호암이 투자하고, 나머지 25%를 소액 주주 5명이 투자했는데, 그 5분의 1인 5%의 투자자 겸 전무로 참여한 인물이 뒷날 효성그룹의 창업주가 되는 조홍제 회장이었다.

동남아 시장을 상대로 주로 건어물을 수출하고 면사, 철강재를 포함, 수백 종의 원자재를 수입하면서 1949년 말의 무역거래액이 국내 7위까지 올라 동업자의 주목을 받기도 했다. 그러나 이듬해 모든 희망은 무너지고 빈털터리 신세가 되고 만다. 6·25 전쟁으로 당장 숨어 다녀야 할 형편으로 전락했던 까닭이다.

출범 당시의 삼성 사옥

　간신히 3개월을 버틴 후 1·4후퇴에 따라 남하하면서 호암의
대구 생활은 다시 시작된다. 지치고 맥빠진 몸과 마음으로 조선
양조를 찾은 호암에게 경리 책임자이기도 한 이창업 지배인과
김 사장 등이 깜짝 놀랄 말을 전한다.

　"사장님, 여기 3억 원이 있습니다."

　"아니, 이게 무슨 돈이오?"

　"그동안 양조장과 과수원, 군납 사업 등을 운영한 결과 얻은
수익을 비축해둔 것입니다. 험한 난리를 겪으시느라 많이 지쳤
을 테지만 지금부터 다시 시작해도 늦지는 않을 것입니다. 힘을
내십시오."

　'생사도 알 수 없는 주인도 미처 모르는 돈이라, 여차하면 축
내거나 없어지기도 쉬운 이 험악한 난리통에 고이 비축해 내어
놓는 이런 일이 내 눈 앞에서 벌어지다니…!' 하는 생각에서 아
마도 호암은 눈시울이 뜨거워져 이 지배인의 손을 덥석 잡았을
는지 모른다. 자신이 믿어온 용인술 지론의 한 가닥인 '용인물

의'(用人勿疑)라는 말의 깊은 뜻을 재삼 확인하면서….

　　이후 새 사업 종잣돈을 확보해 심기일전하게 된 호암은 1953년 12월 부산에서 제일제당을 설립하고 성공해 벌어들인 돈과 나중 조선양조를 처분한 돈으로 1956년 3월, 대구시 침산동에 제일모직을, 1957년 2월에는 한일은행과 동양제당을 인수하게 된다. 이듬해엔 안국화제와 상업은행, 1959년에는 다시 조흥은행을 차례로 인수하면서 금융·건설·중공업 분야로까지 진출할 수 있게 되었다. 그 문어발식 인수 과정과 초기 소비재 일변도였던 업군 진출에 대한 일부 비판층의 곱지 않은 시선을 받기도 했으나 60년대 초에는 일등 재벌의 반열에 성큼 올라설 수 있었다. 대구에서 심은 삼성상회란 조그마한 창업의 뿌리가 움트고 자라, 때론 몰아친 비바람에 시달리면서도 날로 굳건해져 중흥(中興)과 수성(守成)을 넘어, 마침내 국내 제일은 물론, 세계 굴지의 탄탄한 전자기기 및 반도체 제조 선도기업으로 우뚝 서게 된 셈이었다.

야도에서 여도, 보수도시가 된 대구

대구가 한때 '야당도시'로 불린 적이 있었다. 이승만 자유당 정권의 중반인 1954년 제3대 총선과 박정희 민주공화당 정권 아래 실시된 1971년의 8대 총선 결과, 다른 지역에선 드물게 대구에서만 야당과 무소속 후보들이 4개 선거구 모두를 휩쓸고 당선되었기 때문이었다. 풍성한 선심성 선거 자금에다 행정 조직을 앞세운 집권 자유당 소속 후보들의 공세적 관권·물량 선거에 맞서 오직 한 표의 투표권만으로 항거한 '깨어 있는 주권 의식을 가진 도시'란 뜻의 호칭이어서, 대구 시민들에겐 한동안 은근한 자부심을 안겨준 '상징어'이기도 했다.

호칭의 발단은 휴전협정 이듬해인 54년 5월 20일에 치러진 제3대 국회의원 선거 결과를 언론이 "자유당에 일격을 가한 야당도시"라는 식으로 대구의 선거 결과를 대서특필하면서 비롯되었다. 당시 갑, 을, 병구로 나눠진 대구와, 뒷날 대구광역시에 편입되는 인근 달성군이 포함된 4개 구에서 야당인 민국당 후보 3명과 무소속 1명이 당선된 까닭에서다. 특히 일부 유세장에 폭력 행사까지 동원하며 관권선거를 벌이던 서석현(徐錫鉉, 갑구), 손인식(孫仁植, 을구), 이갑성(李甲成, 병구), 배은희(裵恩希, 달성군) 등, 자유당 소속 유력자들을 물리치고 야당인 민국당의 서동진(徐東辰, 1900~1970, 갑구), 조병옥(趙炳玉, 1894~1960, 을구), 조재천(曺在千, 1912~1970, 달성) 후보 외에, 이우출(李雨茁, 1913~1976, 병구) 무소속 후보까지 큰 표 차로 승리한 결과에서였다.

화가이자 향토 출신인 서동진을 제외하곤 조병옥은 충남 천안 출신이었고, 조재천은 전남 광양 출신인 외지인들이었다. 그럼에도 당시 이 두 후보에 대한 유권자들의 지역감정은 거의 없었다. 대구 피란 시절에 원주민들과 팔도의 난민들이 함께 뒤엉켜 살아와 지역의식이 엷어진 이유가 가장 컸다. 게다가 1950년 8월 중순 대구 사수론을 펼쳐 대구 시민들에게 큰 안도감을 안겨준 사람이 당시 내무부 장관이었던 조병옥이었기 때문이다. 바로 그런 이유로 이 무렵 대구의 정치 원로이자 항일지사이며 반(反)자유당파 리더 정객이었던 동암(東菴) 서상일(徐相日, 1886~1962)의 적극적인 권유에 의해 조 후보가 대구 을구에 '영입 출마'를 했음을 유권자들이 널리 알고 있었던 이유에서다.

조재천 역시 외지인이었으나 6·25 직전과 직후, 경북도 경찰국장을 거쳐 경북도지사직을 무난하게 역임한 호감의 인사였다. 게다가 학창 시절 그는 대구사범 강습과에서 수학한 연고로 대구의 많은 동창과 선후배, 옛 직장 동료들로부터 열렬한 지지를 받을 수 있었다.

한편 무소속으로 출마한 대구 병구의 이우출 후보는 강적인 자유당의 거물 이갑성 후보를 만났음에도 일반의 예상을 깨고 금배지를 다는 이변의 주인공이 되어 끊임없는 화제를 낳고 있었다. 이런 예상 밖의 선거 결과는 결국 날로 더해가던 자유당 정권의 독재적 행태를 투표로 응징하겠다며 일어선 대구 시민 특유의 '야성(野性)의 분출'로 평가돼, 이후 언론계로부터 이론 없이 "대구는 곧 야당도시"란 호칭을 얻게 되는 단초가 되었다.

이런 야당 압승의 분위기가 기폭제가 되어 당시 대구 지역의 앞선 비판지였던 『대구매일신문』의 기사나, 칼럼, 사설의 역할도 전보다 날카로워져갔다. 이를 고깝게 여긴 자유당 지방 권력자들의 테러 행위가 1955년 9월의 대구매일 테러 사건이었다. 사건의 결말은 당연히 언론계의 승리로 돌아갔다. 자유당 정권의 말기적 패착으로 인해 대구의 갑, 을, 병, 정, 무, 기 등 6개 선거구로 나눠 1958년에 치러진 제4대 총선마저 민주당(민국당에서 개명)이 대구의 전 구역을 휩쓰는 전과로 재현되었다. 야당 붐의 시너지 효과는 당연히 대구 시내의 청년 학도들에게 영향을 미쳤다. 2년 뒤에 거리로 뛰쳐나와 4·19혁명의 촉매제가 되었던 2·28 대구 학생 데모 사건' 역시 그 야풍(野風)을 보며 느끼고 자란 순결한 학생들에 의해 행동으로 구체화된 '의분의 궐기'였던 것이다.

4·19 직후인 1960년 7월 29일에 치러진 제5대 총선의 결과,

핍박받던 어제의 야당 민주당이 천하를 손에 쥐는 대여당으로 변신했다. 그렇지만 신·구파 간의 혈투에 가까운 상쟁으로 대구에서 당선된 서동진, 서상일, 임문석, 조재천, 조일환, 장영모와 달성군에서 부자(父子) 합쳐 4수 끝에 당선된 박준규 등 6명의 민의원은 제3자가 봐도 여당인지 야당인지 좌표가 헷갈렸다. 또 최달희, 송관수, 권동철, 백남억, 김장섭, 이원만, 최희송 등 7명의 대구 및 경북의 참의원 당선인들도 여야 개념을 넘어 당분간 무소속 표방을 선호했다. 따라서 뚜렷이 야도 여도 아닌 어중간한 가운데 겨우 여덟 달째 의정 활동을 하고 있던 중, 5·16이란 된서리를 맞고 풍비박산, 모두가 정치 낭인의 신세로 돌아가고 만다.

민정 이양 후 처음 치러진 63년의 제6대 총선의 당선자인 송관수, 이원만, 이효상, 김종환은 모두 여당인 민주공화당 소속이었다. 이어 1967년의 제7대 총선의 결과는 대구 서북구의 조일환 (신민당) 당선인을 제외한 이만섭, 이원만, 이효상, 김성곤(달성) 의원이 모두 여당인 공화당 소속이어서 '야도 대구'란 옛 표현이 무색해졌다는 평가를 받았다. 그러나 71년의 제8대 총선은 대구 남구의 강재구 공화당 후보를 제외한 한병채, 김정두, 신진욱, 조일환 등 신민당 후보들이 석권해 '야당도시 대구'란 '명성'을 얼마쯤 되살려놓게 된다. 이어 유신정권하에 2명이 동반 당선된 73년의 제9대, 79년의 제10대, 그리고 81년 전두환 정권하의 제11대, 85년의 제12대 선거 역시 여야가 동반 당선됨으로써 민의를 대변하는 선거란 의미 자체가 퇴색해버린 셈이 되었다. 89

년 13대에 겨우 본래의 선거 방식으로 환원했으나 대구의 8개구에서 여당인 민주정의당 후보가 전 의석을 싹쓸이해 야권 출마자들을 허탈하게 만들었다. 92년의 14대 역시 총 10석 중, 단 두 석을 제외한 8석을 당시 여당인 민주자유당이 휩쓸었다. 이후 대구는 야권 세력들로부터 '야당도시'는커녕 "여당의 본향, 여당의 터줏도시"란 비아냥까지 들어야만 했다.

사실 IT 시대가 된 21세기 오늘에 와서 보면 야도(野都)라서 명예스럽다거나, 여도(與都)라서 불명예스럽다는 개념 자체가 시대착오인지도 모른다. 야당 의원이라고 사심 없이 민의를 대변했다고 단언할 수 없다. 동시에 여당 의원이라고 지역 발전에 소홀한 채 개인의 영달을 위해서 거수기 노릇만 했다고 폄하하지 못할 것이다. 그래서인지 대구의 유권자들도 당적을 떠나 인물 됨됨이에 주목하며, 눈앞의 지역 공약보다 국가적 대의(大義)에 얼마만큼 부응하냐를 평가의 기준으로 삼는 경향을 보이기도 한다. 즉 여야를 떠나 극단적인 종북 좌파만 아니면 배척 않는다는 의식, 또 야당 소속이라도 철새 경력을 지녔거나 말만 앞세우면 아무리 이력이 좋고 허우대가 멀쩡하더라도 비토하려는 의식이 팽배해가는 세태라는 것이 중론이다. 결론적으로 대구 유권자들의 정치 의식은 이제 여·야의 개념을 초월해, '큰 산과 높은 봉우리'란 뜻인 태산교악(泰山喬嶽)의 자세로, 제대로 된 중도보수의 테두리 안에서 상식과 정도에 열정을 쏟는 인물에 표심이 쏠려가고 있다고 보아 크게 틀리지 않을 듯하다.

국난기의 사건과 인물로 보는

대구 이야기

초판 1쇄 인쇄 · 2021년 5월 6일
초판 1쇄 발행 · 2021년 5월 13일

지은이 · 정영진
펴낸이 · 한봉숙
펴낸곳 · 푸른사상사

주간 · 맹문재 | 편집 · 지순이 | 교정 · 김수란, 노현정 | 마케팅 · 한정규
등록 · 1999년 7월 8일 제2-2876호
주소 · 경기도 파주시 회동길(서패동) 337-16
대표전화 · 031) 955-9111(2) | 팩시밀리 · 031) 955-9114
이메일 · prun21c@hanmail.net
홈페이지 · http://www.prun21c.com

ⓒ 정영진, 2021

ISBN 979-11-308-1787-3   03910
값 20,000원